中小學生必備！
問題解決力的思辨工具書 上

丁士珍、蘇子媖 /著　顏寧儀 /繪

該借同學抄作業嗎？
運用九宮格、同理心地圖等工具解決人際難題

作者的話	你問我答認識本書	4
思考方法小辭典		14

CHAPTER 1　伸出友誼之手

第 1 單元　希望被同學接納　20
白老師的檔案室　20
希望被同學接納　24
勇敢的拒絕或說出想法，是對自己的最基本尊重　28
想一想你會怎麼做？　34

第 2 單元　手機與社交　37
第一份紅色檔案　37
什麼是社交　41
需要與想要　45
想一想你會怎麼做？　49

哲學檔案　什麼是友誼？　50

CHAPTER 2　適當的言語與行為

第 1 單元　關係中的安全範圍　54
不喜歡被取綽號　54
身體界線　59
心理界線　63
想一想你會怎麼做？　68

CONTENTS 目次

第 2 單元	網路不當行為	69
	網路上講壞話	69
	不應該以傷害他人建立自信與友誼	77
	想一想你會怎麼做？	84
哲學檔案	什麼是「關係中的安全範圍」？	86

CHAPTER 3　學會掌控時間

第 1 單元	在合理的時間使用手機	90
	神祕的白頭髮老師	90
	世界不只有一個手機的大小	102
	想一想你會怎麼做？	107
第 2 單元	自律與時間管理	108
	不一樣的劇本	108
	自律分配時間	114
	管好自己，贏回信任	122
	想一想你會怎麼做？	123
哲學檔案	什麼是自律？	124

> 作者的話

你問我答認識本書

生活中遇到各種大困擾與小煩惱該怎麼辦呢？《中小學生必備！問題解決力的思辨工具書》提供了完整的思維模式，以及實用的思考工具，內容包括人際互動、自我管理、情緒學習、自我探索等，培養孩子創新解決問題的能力。本書作者為兒童哲學教育專家蘇子媖，以及推廣創新教育的教育心理博士丁士珍，讓兩位作者帶大家認識這本書吧。

為什麼想寫這本書？

`子媖` 隨著孩子長大，我開始以自己的專業「哲學領域」，來處理孩子成長中遇到的問題，也以此陪伴著他們，一路解決了很多看似簡單卻極其重要的事。延續《建立孩子思辨能力的第一套橋梁書》，以

臺灣為場域，欲提供在此的你和我，都能有共鳴的思考方法為初衷來書寫此書。本書將陪伴著你解鎖五至八年級的孩子（國小高年級至國中二年級）。這時期的孩子，正處於身心自我形構的階段，習得一些知識，擁有一些能力後，對自己、對他人常常必須調節各種認知與認同的衝突，故本書以解決「衝突」為主軸，透過實用的思考方法，幫助大朋友和小朋友鍛鍊思辨能力。

士珍 在快速變遷的時代，現今孩子將來從事的工作現在可能還未發明，因此**學習如何解決問題的能力，遠比學習特定學科知識更為重要**。我們都希望孩子能成為具備解決問題能力，並對世界產生積極影響的人。

什麼樣的人才最適合創意解決問題呢？很多人可能首先會聯想到創造力，認為創造力就是產生出獨特想法的關鍵。然而，光有創造力並不夠。身邊不乏有高度創意卻無法成功解決問題的人，他們可能缺乏

深入研究的能力，無法真正理解問題所在；或許也缺乏反覆修正的能力，無法藉由回饋改進原有的想法；也可能缺少堅持不懈的毅力，無法將想法付諸實現。

基於這樣的思考，我希望提供孩子訓練批判性思考和創新解決問題的方法。透過真實的生活情境，引導孩子運用創意和思辨力去解決問題，讓他們從小便能在生活中培養解決問題的能力，為可能面對的未知挑戰打下基礎。

什麼是思考？思考怎麼解決問題？

子嫄　思考起源於「好奇」，然後產生於「意識運作」，所呈現的狀態是：面對某事、某物、某概念時，意識在此停留，並十分集中的運作。

士珍　本書講的思考是「設計思考」，**設計思考是一種解決問題的方法，強調站在別人的角度建立同理心，搞清楚真正的問題是什麼、構思創意、實踐想法，並進行檢視**。這種方法創造性的幫助個

人深入理解他人的需求，從而識別或重新定義問題，並透過集思廣益產生新想法。最終，透過實踐想法、檢視和評估，學習並尋找最佳解決方案。其核心在於深入了解事件參與者，質疑現有的觀點或假設，並重新思考問題，從中發現那些不易察覺的替代策略和解決方案。

有哪些思考工具可以使用？

士珍　思考工具能有效幫助提升創意思考、批判性思考和團隊合作能力。**常見的工具包括同理心地圖、5W1H、KJ法、九宮格、AEIOU活動描述分析法和魚骨圖**，它們不僅能激發創意，讓團隊快速產生多樣化的想法，還能從不同角度協助解決問題。

同理心地圖有助於理解需求，5W1H和AEIOU可深入探討問題根源，KJ法和九宮格幫助歸類與分析信息，而魚骨圖則用於查找問題的多重原因。此外，透過實踐想法，可以進一步測試創意的可行性。

本書將介紹同理心地圖、5W1H、KJ法、九宮格、AEIOU和魚骨圖的應用，幫助讀者更有效的運用設計思考來解決問題。

為什麼要用這些工具幫助思考呢？思考工具可以幫我什麼？

士珍 思考工具幫助孩子發展系統化的解決方法，增進創意思考、批判性思考的能力。這些結構性工具能更深入了解問題、探索各種解決方案，從不同角度重新檢視問題。例如同理心地圖能幫助孩子站在他人立場思考，提升同理心，而九宮格快速發想鼓勵他們提出創新想法。

設計思考能幫助孩子在真實情境中解決問題，提升學習動機。過程中的反覆測試與修正，培養適應力和接受回饋的能力，同時讓孩子具備創新、批判性思考及合作能力，讓他們面對困難時，能夠冷靜、有效的提出不一樣的解決方案。

什麼時候要用思考工具？怎麼開始比較好呢？

士珍 本書中的思考工具幾乎可以應用於任何挑戰，無論是改善日常的合作與決策，還是解決更複雜的問題。面對沒有現成解決方案的挑戰，設計思考能深入了解事件參與者的需求、行為和情感，並創造出符合這些需求的解決方案。

設計思考的第一步是從「為什麼」開始，即理解問題的核心和目的。這一階段強調同理心，讓我們能夠真正了解需求和目標。

要使用哪一種思考工具呢？

士珍 選擇使用哪一種思考工具，取決於問題所在的階段和想達成的目標。在**同理心階段**，像是同理心地圖和訪談這類工具，能幫助我們站在別人角度，深入了解他們的需求和感受。

試圖找出問題的根本原因時，魚骨圖、KJ法、

AEIOU和5W1H工具能幫助識別真正的問題。在**想點子階段**，九宮格、KJ法和5W1H能激發創意，提出多樣的解決方案。而在**實現想法的階段**，則是快速將腦中的想法具體化，檢視目前的想法是否可行，才有機會進行下一步。

在**檢視階段**，根據實際結果，對原來的解決方法進行修正和調整，讓解決方法更符合需求。

同理心地圖也能在檢視階段發揮作用。雖然通常用在了解他人的需求，但也可以幫助重新檢視目標群體的需求和感受，確保解決方案是否仍然符合期望。

所以選擇工具的關鍵是根據當前的挑戰、需求和思考的階段，靈活調整，這樣才能有效解決問題並推動創新。

幾年級可以讀呢？大人也可以讀嗎？大人怎麼和孩子一起使用這本書呢？

子媄 本書的場景是以五至八年級為故事架構，

但各個年齡都會遇到類似的議題，書中所使用的方法更是適合於每個人，學起來後轉換成自己所遇到的場景來使用。

如果是五至八年級，這本書剛好適合；如果是高中生、大學生、成人，轉換場景後，活用設計思考方法，獲得能從不同角度探討問題，找出更多可能性的思考方式。最後如果想要引導孩子，可以與孩子一同完成每單元的「想一想你會怎麼做？」，以及閱讀「哲學檔案」，在因為年紀不同，而價值觀不一樣的碰撞下，讓學習是一加一大於二。

士珍 本書最適合小學高年級到國中，尤其是有興趣提升批判性思考、創造力和解決問題能力的孩子。對於父母和教育工作者來說，同樣是很好的參考資源，幫助他們了解如何引導孩子發展思考技能。

大人可以透過幾種方式幫助孩子使用這本書。首先，與孩子一起閱讀並討論書中內容，鼓勵他們分享自己的想法。其次，將書中的方法應用到日常生活

或學校作業中，幫助孩子理解在現實情境應用這些思考方法。最後，根據書中的技巧和案例，激發孩子進行創意練習和問題解決，並提供適當的支持與回饋。這樣，大人不僅能幫助孩子掌握有效的思考方法，還能增進親子間的互動與學習，提升那些永遠不可能被科技取代的素養。

小專欄「哲學檔案」與思考的關係？

子媖　「哲學」一詞起源於西方，定義是「愛智」，但對東方來說，哲學是「德慧」的表現，兩者的交集是「智慧」，「智慧」和「聰明」不一樣，「智慧」是面對問題、衝突，在思考時多了份層次。層次的思考很難學，但不是不能學，若你能尊重且把握事件中「每個都是人」，很自然的就會擁有掌握層次思考的鑰匙。而設計思考之所以能有效的協助哲學式靈活變通的思考方式，就是因為它所關注且在意的對象也是「人」，這也是本書以哲學為議題，設計思

考為思辨方式的設計。

士珍 哲學與設計思考都強調理解和應用知識來解決現實問題。在數位時代,教育逐漸從單純的資訊傳遞,轉向培養更深入且靈活的學習方式,這反映了批判性思考與創新思考的需求提升。在這一過程中,哲學幫助我們探索真理並利用這些知識來解決問題。我們或許無法達成「完美」的知識或解決方案,但透過不斷檢視和修正,我們能持續改進,最終找到更好的解決方案。設計思考正是將這一原則具體化,它透過同理心、想法付諸實踐、檢視並不斷調整,來應對複雜的問題。因此,結合哲學與設計思考,不僅能幫助孩子進行深思熟慮的分析,還能讓他們將這些分析能力應用於現實挑戰中,成為面對未來問題的解決者。

思考方法小辭典

◆ 同理心地圖
幫助我們站在他人角度，深入了解他們的需求和感受

同理心地圖以當事者在事件中想到或感覺到、聽到、看到、說或做的四個面向進行分析，找出最在意的（痛點），以及想要達成的目標（甜蜜點）。

範例

不想借作業給同學的困擾。

想到或感覺到
生氣又懼怕。

聽到
你不可以說，你說了我就不跟你做朋友（或是被公器私用）。

看到
被抄襲同學因為害怕不敢說，抄襲者也沒有被指責，所以繼續相同的行為，如果被老師發現也只是罵一罵或重寫，沒被發現就過關（僥倖心態）。

說或做
不敢拒絕。

痛點
無法拒絕，怕被同學排擠。覺得不受尊重，因為我花了時間寫。

甜蜜點
我希望你尊重我。花了很長的時間寫作業，所以我不借你抄。

◆ 九宮格
激發創意，提出多樣的創意想法

　　九宮格是腦力激盪工具，正中間的空格填上分析主題，周圍八個空格填上與主題相關的各種點子，這時候只需要快速發想，不用思考太多，是可以快速想出各種解決方法的工具。

範例

　　快速發想「為什麼想要做自己想做的事（玩手機）？」

正在興頭上總是被打斷	躲避媽媽的嘮叨	不想一直被爸媽叫去做事情
可以擁有很多選擇權	為什麼想要做自己想做的事（玩手機）？	只有念書，所有的手遊都不能玩
不會被別人管控	不是所有遊戲都是可以暫停的	只是超過一點點規範時間，就被處罰

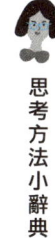

◆ KJ法
以分類找出問題的根本原因

點子發想到一定程度時，可以進一步以KJ法分類點子（適合接在九宮格後使用），對每一個分類下標題，並標示出最多點子的分類，透過這樣的整理，釐清思路，找出事件最重要的關鍵點。

範例

分析為什麼想要做自己想做的事（玩手機）。

我管自己 ←新標題	別人管我 ★ ←新標題
可以擁有很多選擇權	正在興頭上總是被打斷
不是所有遊戲都是可以暫停的	不會被別人管控
	躲避媽媽的嘮叨
	不想一直被爸媽叫去做事情
	只有念書，所有的手遊都不能玩
	只是超過一點點規範時間，就被處罰

◆ AEIOU
幫助識別真正的問題

分別以活動（A）、環境（E）、互動（I）、物品（O）、使用者（U）五個面向，深入了解事件中的細節，理解人們在特定情境中的行為和互動。也可以透過比較，找出兩種探討事物的不同。

- **活動（Activity）**：當下進行的活動、遵循的流程等。
- **環境（Environment）**：所處的環境。
- **互動（Interaction）**：人與人、與物品，還有與空間的互動。
- **物品（Object）**：環境中有哪些物品？這些物品與人們的活動有什麼關聯？
- **使用者（User）**：有哪些人？扮演什麼角色？彼此的關聯是什麼？他們的需求和期望是什麼？

範例

分析小彥玩手遊讓媽媽生氣的原因。

▪ 飯後自己的作息活動應該是：	▪ 今晚吃完飯的作息卻是：
U（使用者）：小彥、爸爸、媽媽 A（活動）：小彥飯後回房間、小彥十點半躺在床上睡覺、爸爸洗澡、媽媽檢查功課、媽媽簽考卷 I（互動）：自己的大腦、眼睛、手、嘴巴、耳朵、書上的文字或數字 O（物品）：課本、參考書、講義、文具、手錶、燈、手機、棉被、床墊 E（環境）：房間內、書桌、床鋪	U（使用者）：小彥、爸爸、媽媽 A（活動）：小彥飯後回房間、小彥十點半躲在棉被裡打手遊、爸爸洗澡、媽媽檢查功課、媽媽簽考卷暴怒、媽媽衝進房間掀棉被 I（互動）：自己的大腦、眼睛、手、嘴巴、耳朵、積分點數 O（物品）：手機、棉被、床墊 E（環境）：房間內、床鋪、棉被

CHAPTER 1
伸出友誼之手

第 1 單元

希望被同學接納

💭 白老師的檔案室

　　圖書館有個另外隔出來的檔案室，說特別也沒有太特別，就是裡面放的不是書，而是一冊冊的檔案夾，設置在圖書館內也不奇怪；這一區是由學校一位女老師負責，最令人印象深刻的是她那滿頭輝白與肩並齊的短髮，白髮並不顯老，看過她站在書架前的人，都覺得她那模樣看起來更有智慧，學生因為她的白髮都稱她為「白老師」。

　　大家都知道，如果你在學校遇到處理不了的人

際應對問題，都能來有著白老師坐鎮的檔案室找資料，白老師往往能透過你提供的關鍵字，找出解答的資料夾號碼。

這天，白老師八點來開檔案室的門，遠遠就看到一個綁著馬尾的學生，手拿著抹布，在檔案室的門口東張西望。

溫和朝陽穿過書架斜射入圖書館的地板上，遠遠的可以聽見走廊上收拾打掃用具的同學，三五成群

的結伴準備回教室的嬉鬧聲。

「同學，我想妳應該不是來打掃的？」白老師停在檔案室門口說。

「老師早安。我是來找檔案的。」萱萱有些靦腆的點點頭。

白老師轉動了鑰匙孔，拉開檔案室的拉門，出現在眼前的是一本本藍色、綠色、紅色……各色檔案夾分類整齊的排在書架上。

「進來吧，妳想找什麼檔案呢？」

「老師，檔案室裡有沒有『不想借作業給同學抄』的檔案？」萱萱帶著害羞又討好的微笑，怯怯的問白老師。

白老師將帆布包放在臨窗的座位上，側頭想了一下。

「為什麼妳不喜歡借作業給同學抄？」

「我花了時間和心力寫的，為什麼他們可以不花時間想，就完成作業，不公平！」萱萱委屈的看著

白老師。

「妳在意的是『不公平』？還是別的？」白老師逆著光看著萱萱糾結的眉頭問。

「我……那是我的東西……我就是不想讓他們平白得到。」

「妳覺得不舒服就拒絕啊！」

「但他是我的好朋友，我不想失去這個朋友……老師，妳有沒有檔案可以參考？」

白老師抽出一本藍色資料夾，遞給萱萱。

「我想妳可以看看這本。妳知道檔案室的規矩吧，只能現場看完，不能帶走也不能做筆記。」

萱萱眉頭鬆了鬆，欣喜的接過檔案。

「我知道！」

「距離第一節課開始還有三十分鐘，應該看得完，妳就坐這吧。」老師指了指書架旁的小沙發。

萱萱等不及翻開檔案，邊看著第一頁，邊慢慢坐下。

白老師微笑的看了一眼後,走向窗邊自己的座位,繼續整理手邊的檔案。

💭 希望被同學接納

■ 756號檔案

人物基本資料

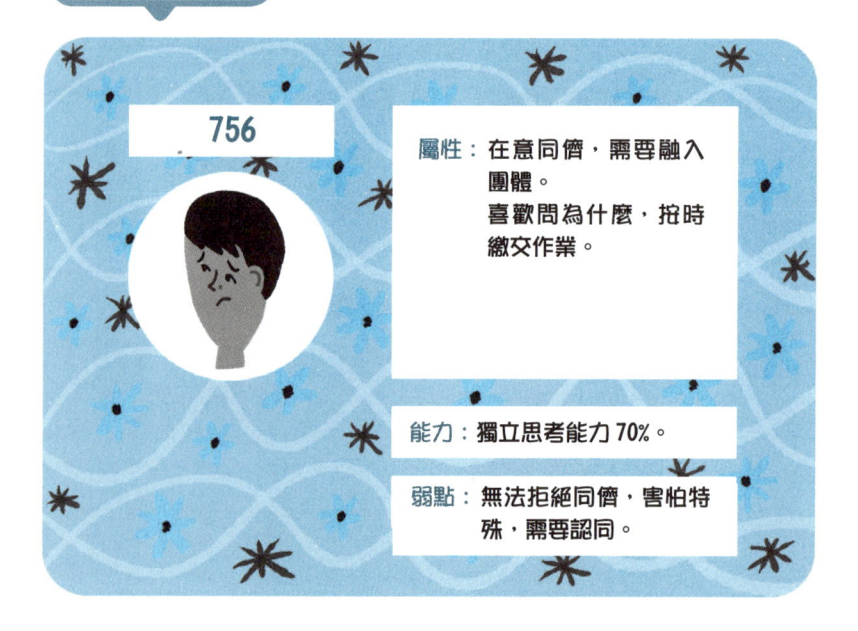

756

屬性:在意同儕,需要融入團體。
喜歡問為什麼,按時繳交作業。

能力:獨立思考能力 70%。

弱點:無法拒絕同儕,害怕特殊,需要認同。

756 的同學

屬性：愛玩，除了上課、寫作業之外什麼都很棒。做報告懶散。
在意同儕，需要融入團體。

能力：獨立思考能力 30%。

弱點：不喜歡被拒絕。

萱萱注意到 756 檔案上寫著：

「先尊重自己，別人就會尊重你。」

「為什麼老師覺得我需要這份檔案呢？」萱萱心裡納悶著，好奇的往下看。

756檔案內容

老師禮拜一發出了一項功課，說禮拜三要繳交。

禮拜三一大早，756的同學匆匆忙忙快步走進教室，當看到氣定神閒吃著早餐的756時，眼睛頓時發光，衝到756的桌子前，小聲的說：「老師禮拜一說的讀書心得學習單，你寫了嗎？」

「我寫啦！」756很開心的回答。

「太好了，借我抄一下。」756的同學說話同時伸出了右手。她心想反正我們看的是同一本書。

「妳為什麼不自己寫？」756有些不太開心，但又不知道怎麼說，正在猶豫時——

「時間來不及，要交了，昨天打線上遊戲忘了。」

「我……我覺得不太好，老師說資料要標出處……」756小聲的說。

「心得很麻煩，我們看的是同一本書，借我抄一下啦！反正不是全抄。你是我最好的朋友了，拜託啦！」756的同學急忙的說，怕756不借。

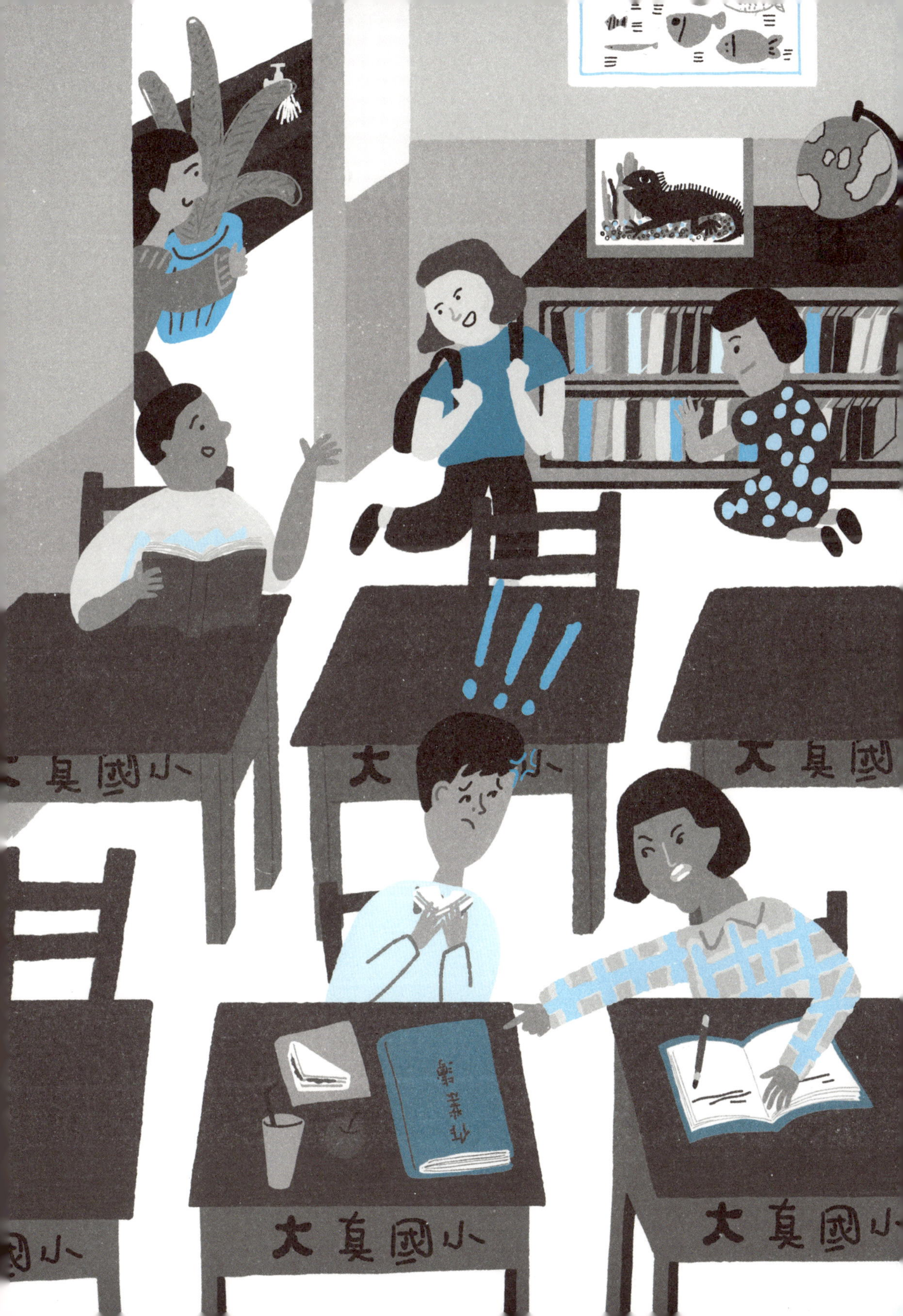

真國小
太真國
作業簿
國小
太真國小
太真國小

「你如果不借，或跟老師說，就不是我朋友了。」756的同學又補了這句話。

756一臉苦楚的把作業遞給她。

借了作業，756心裡不舒服，但又不知道如何堅定拒絕，因為「他們是好朋友」，而且老師最後未發現這次抄作業事件。

❋

萱萱看到這，覺得自己就跟756一樣，難道自己也要妥協嗎？

「別嘆氣，繼續往下看看。」這時白老師的聲音響起。

💭 勇敢的拒絕或說出想法，是對自己的最基本尊重

萱萱趕緊翻開下一頁，看到一個方形圖表。

■ 診斷756狀況（同理心地圖，站在別人角度，了解他的需求和感受）

想到或感覺到
生氣又懼怕。

聽到
你不可以說，
你說了我就不跟你做朋友
（或是被公器私用）。

看到
被抄襲同學因為害怕不敢說，抄襲者也沒有被指責，所以繼續相同的行為，如果被老師發現也只是罵一罵或重寫，沒被發現就過關（僥倖心態）。

說或做
不敢拒絕。

痛點
無法拒絕，怕被同學排擠。
覺得不受尊重，
因為我花了時間寫。

甜蜜點
我希望你尊重我。
花了很長的時間寫作業，
所以我不借你抄。

在圖表的最後，白老師用娟秀的字體寫下：

「你知道756為什麼無法爽快答應借作業嗎？」

「你覺得如何做能達到借用，但也尊重756？」

萱萱愣了愣，心想：「他應該跟我一樣，因為是朋友，不想失去朋友，所以無法爽快拒絕。

「但我希望被尊重啊，如果是朋友，就應該知道我無法爽快答應的原因。」

這時白老師走了過來，蹲在小沙發前看著萱萱說：「**妳希望被怎麼對待？**」

萱萱愣了一下，說：「我會希望⋯⋯別人尊重我的創作，即便是心得單也是我的想法。如果真的想借，也要載明出處或改寫文字。」

此時白老師遞給她一張紙，上面畫著大大的九宮格。

「我們來玩個小遊戲。妳將想要別人尊重妳創作的願望填在中間的空白格子。旁邊的格子寫妳覺得應該怎麼做。」白老師指了指旁邊的格子。

「好像有點難⋯⋯」萱萱為難的說。

「在九宮格練習前，我們先練習『觀點問題陳述』。」白老師說。

「什麼是『觀點問題陳述』？」萱萱一臉問號的看著白老師。

「『觀點問題陳述』就是請妳以『不同當事人的立場和想法』來重新看問題。想一想『**我們該怎麼做才能……？**』舉個例子，妳可能會說：『**如何在班上交到好朋友？**』那麼觀點問題就可能是：

如何在班上交到好朋友＝
怎樣建立好朋友間良好的互動方法→觀點問題

有了一個好的觀點問題，就可以有很多不同的解決方法。可以藉著訪問這位同學，以及訪問老師、校園中其他人員，蒐集不同人的觀點和對這個問題的可能解決方法。」白老師溫柔的講解引導。

「然後就能透過腦力激盪（九宮格），發想大量可能的辦法。」白老師拉過自己的椅子坐在萱萱旁邊。

「所以我們先以『好朋友良好互動方法』來練

習。」白老師遞給萱萱一枝筆，用很有信心的眼神看著她。

白老師先在中間格子填上「好朋友良好互動方法」。

萱萱咬了咬嘴脣，不是很確定，但她在右上填入「不隨意批評對方」。上方填入「尊重彼此想法」。下方填入「主動關心對方」。

當最後第八格填完，萱萱看著這張自己寫完的九宮格，有著滿心的成就感。

「我想妳知道什麼是應該做的了。」白老師摸

	尊重彼此想法	不隨意批評對方
	好朋友 良好互動方法	
	主動關心對方	

摸萱萱的頭。

「**勇敢的拒絕或說出想法，是對自己的最基本尊重。先尊重自己，別人就會尊重你，這才是『朋友』重要的原則。**」白老師輕聲的說著。

這時一陣風吹進檔案室，吹起白老師的白髮，萱萱覺得白老師這時真的很美。

✏️ 想一想你會怎麼做？

❶ 請用你的方式協助萱萱完成「九宮格」。

	尊重彼此想法	不隨意批評對方
	好朋友 良好互動方法	
	主動關心對方	

❷ 「好朋友良好互動方法」九宮格提到「尊重彼此想法」，請你也想想，要達到「尊重彼此想法」有哪些方法？

	尊重彼此想法 的方法	

❸ **請選擇剛剛填的「尊重彼此想法的方法」其中一格,與同學或爸媽、老師進行練習。例如:測試「以掉頭就走,表達自己的不滿」。**

同學甲:「拜託,借我抄一下啦!」」

同學乙不想借,所以「掉頭就走」。

同學甲:「拜託,借我抄一下啦,你不要走啦!」

同學乙繼續走。(心裡在想怎麼拒絕,或是如何和他一起寫。)

同學甲:「拜託,時間來不及了,我們是好朋友耶!」

同學乙:「我們是好朋友,我也很想幫你,要不然我們一起寫。」

結果同學乙發現,這樣做之後,同學甲仍然完全依靠他寫作業,因此又發展出另一個修正的方案:他們約定,同學甲下次打線上遊戲前,先打電話給同學乙,同學乙可以和同學甲先一起寫作業,這樣就可以減少彼此間的摩擦,友誼關係也可以繼續維持下去。

❶ 參考解答

聆聽對方說話	尊重彼此想法	不隨意批評對方
表達理解對方感受	**好朋友良好互動方法**	樂於與對方分享
給對方支持和鼓勵	主動關心對方	不互相威脅

❷ 參考解答

當我不開心時，我會在紙上畫一片雲	帶友誼手鍊	製作朋友間生氣爆點照片集
用手勢表達拒絕	**尊重彼此想法的方法**	以掉頭就走，表達自己的不滿
一起吃冰棒，在融化前說出自己想法	發現對方說話開始支支吾吾	一起吃零食，在吃的過程中，說出想法

第 2 單元
手機與社交

💭 第一份紅色檔案

　　最近許多老師觀察到班上有多位沉迷於手機的學生，這現象讓白老師想起她多年前接到的第一份紅色檔案。

　　檔案室的檔案分成紅、綠、藍三種顏色，是白老師依著遇到個案時，協助同學解決盲點的困難度來分類。

　　藍色通常是情感面，最容易釐清，也是檔案室中占比最大的。

其次是綠色，通常這類的檔案涉及自我定位、自我認同的問題。

最後的紅色檔案，是在協助釐清的過程中最複雜的，有時甚至像剝洋蔥一樣，從原本的小問題，到最後發現，事情原來沒有表面看到的那麼簡單。

白老師找出當時的第一份紅色檔案夾。

■ 305號檔案

人物基本資料

305 媽媽

屬性：家庭主婦。
尊重小孩，只要講得出理由的通常都會耐著性子溝通。

能力：獨立思考能力 50%。

弱點：大決策時會猶疑。

> **305**
>
> 屬性：期待同儕認同。
> 　　　較情緒化。
> 　　　不喜歡被拒絕。
> 　　　希望在團體中能夠被關注。
>
> 能力：獨立思考能力 30%。
>
> 弱點：害怕一個人。
> 　　　不能認同自己、沒自信。
> 　　　不清楚自己要什麼、盲從。

翻開檔案的第一頁，白老師當時為305檔案的總結分析是：

「想要、需要與應該，你分得清楚嗎？」

白老師微微笑了一下，隨著文字回憶起當時的內容。

305 檔案內容

「讓我換手機啦！」305回家第一件事就是哀求

正在煮飯的媽媽。

「手機壞了嗎？我記得我給你的那隻舊手機應該還是很好用。」媽媽頭也沒回的攪動著玉米濃湯。

「不好用啊，我都沒法跟同學傳圖片。」305可憐兮兮的說。

「怎麼可能，用LINE傳不能嗎？網路有問題吧？」母親回頭瞄了一眼，繼續洗菜。

「妳不懂，我的同學都用最新手機的新軟體，連一連傳什麼都超快，這支手機又沒有那個功能。」

「兒子，你搞清楚，有手機用就很好，居然還嫌！」媽媽有點生氣的放下手邊食材，轉身斥責305。

「妳根本就不懂什麼叫做『社交』，沒新手機讓我交朋友有障礙。」305生氣的說。

「說我不懂社交，你倒是來跟我說清楚什麼是社交，能說服我，我就讓你換。」媽媽擦乾手，將瓦斯轉成小火。

305覺得充滿希望，打算拿學校學的來說服母親。

什麼是社交？

305想到學校曾經教的九宮格方法，拿了一張紙開始寫了下來。

305的母親看著305奮筆疾書的樣子，心裡當然也清楚十一、十二歲孩子的特質，她在心中也同時列出了解析圖表。

認同感正在形成

頻繁使用社交軟體

正學習處理同儕關係

因為正接近青春期較情緒化，對於被拒絕的事也相當敏感

在媽媽心中浮現兒子性格狀態的同時，305已經完成九宮格，下巴抬得高高的遞給媽媽。

跟朋友互動	一起打電動、交換配備	他有，我也有，我們都有
在一個小社會裡面交朋友	什麼是社交？	用 FB、Messenger、IG 交朋友
跟朋友聊天	跟朋友做同樣的事	在網路上聊天

媽媽認真看著九宮格，提問：「我看你這九宮格，手機沒有每格都有啊，看來也不是很重要，手機與社交有什麼必然關係？」

305說：「關係可大了呢，可以用IG和同學聊天、傳圖片，LINE群組可以看班群。

「這些都是我們日常聊天的內容啊，而且透過

傳圖讓我能跟得上話題。如果看了別人傳的圖片，你就得回，不回人家就會覺得很奇怪。」

媽媽說：「你們著迷傳短訊，吃飯也不專心，甚至有些照片超奇怪。我最擔心的是你們亂傳訊息，落入言語霸凌而不自知。」

媽媽接著說：「我真心覺得手機跟社交沒有直接關係。」

「有的，手機可以下載軟體，我們都用這些軟體聊天，如果我突然想要聊天，就可以馬上跟同學用手機聊，不一定要碰面的時候才能講話。」305以一種母親是老古板的表情看著她。

「新手機可以下載這些軟體，但是舊手機不行，朋友有，我沒有，就無法跟上他們的話題，見面也不會有人從頭跟我說清楚。還不如有適合的手機，下載大家都在用的軟體自己看。」

媽媽繼續說：「你不要覺得我討厭，我來說說我擔心什麼，看看你是否能幫我解決，讓我安心給你

換手機。」

305聽到可以換手機，精神都來了。

「放馬過來吧！」

媽媽說：「其實你們使用網路的目的，往往離不開觀賞影片、電玩遊戲和社群互動。由我的角度來看，問題往往是，擔心你們接觸到不良資訊，影響價值觀誤入歧途，或是過度沉迷造成網路成癮，你可能寧可滑手機，也不願意花時間跟我喝花茶了，我們會不會因為缺乏溝通而感情疏遠呢？」

305腦袋有點迷糊，覺得媽媽問題有點多，一臉不明白的看著媽媽。

媽媽接著說：「簡單來說，我不知道你網路交的朋友可以信任嗎？有手機不一定可以交朋友，因為交朋友通常都是先看過本人，碰面後才轉到網路上聊天吧，單純靠網路，不能夠確定他是怎樣的人。」

305說：「媽，手機上面有很多線上遊戲，我其

實很少跟不熟的人組隊，大多都是學校同學線上約打電動，所以手機是互動的延續，不是拿來交『新』朋友。

「我們通常一起打電動、聊天，或是分享限時動態和明星的貼圖。只是想知道別人在幹嘛。

「所以新軟體可以跟『舊』朋友多說一點話，是放學後的延續，用貼圖、點愛心等，取代當面講話。」

需要與想要

媽媽說：「你真的需要放學後還繼續跟同學說話嗎？」

305激動的說：「非常需要！在學校本來就跟同學互動，回到家在網路上和同學聊天，延續跟同學的聯絡。

「當然我們不只聊天，也會討論小組或專題

作業啊。譬如有時候要交照片作業，這時候軟體跟不上討論的夥伴，讓我很困擾，換手機就是『需要』。」

媽媽說：「所以如果是關於學校作業的聊天或傳資訊，這時手機軟體就是『需要』，是吧？」

「沒錯，我需要這個軟體，要不然無法完成事情。」305覺得自己快要說服媽媽了。

305開心的搓手繼續說：「手機能幫助我了解更多的知識，不見得都是沒營養的東西啊，譬如上網查詢答案，可以快速知道問題的解答，或是用來計算。」

媽媽說：「看來你很知道手機也有『功能』，所以只要符合功能，不一定要最新款，對吧？」

305遲疑了一下說：「但這樣，我就沒法跟上同學，感覺很落伍。」

媽媽說：「如果覺得落伍，就不是從『需要』去談了，而是『想要』，你到底想要什麼呢？」

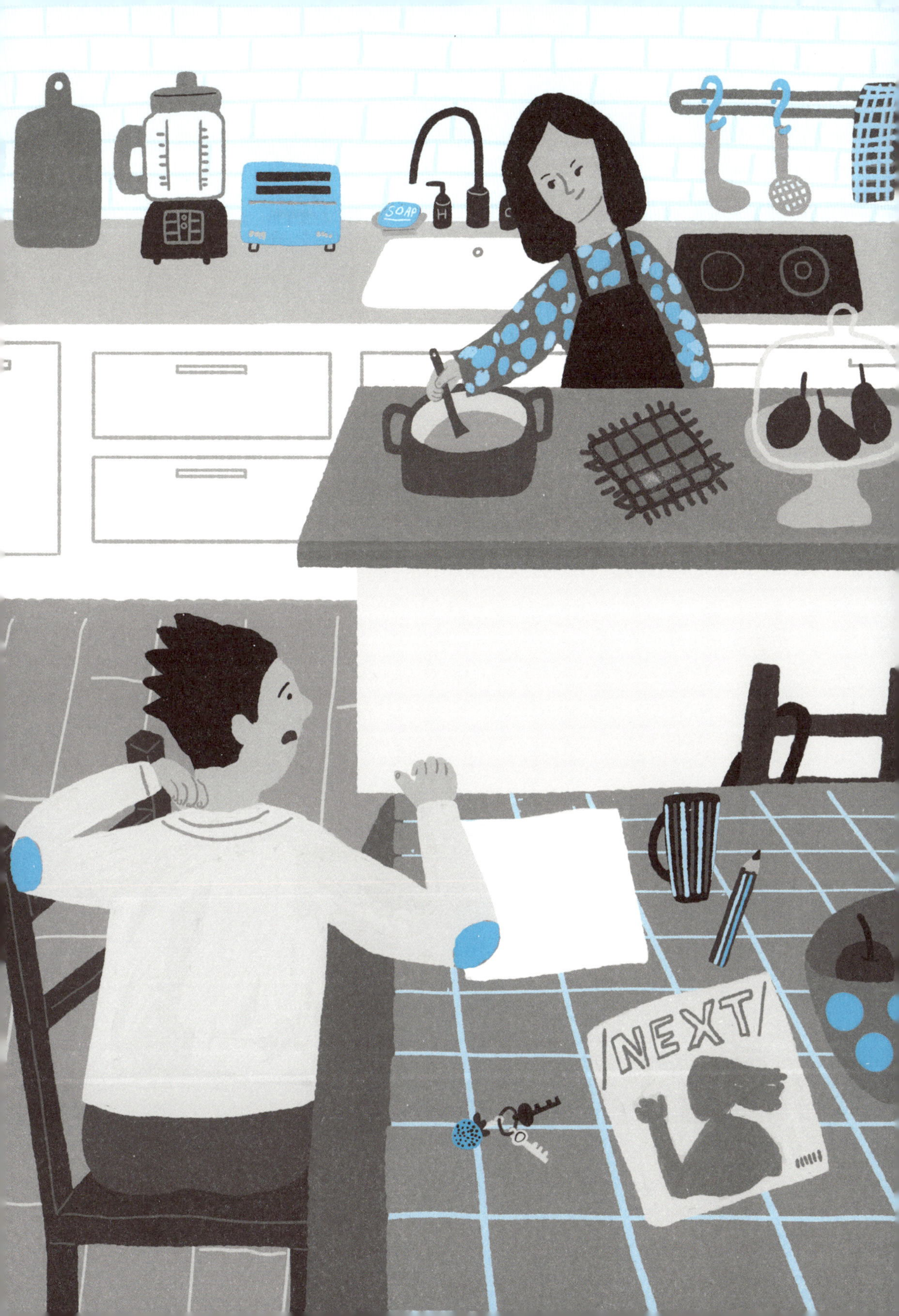
SOAP
/NEXT/

305回答：「我想要朋友把我當朋友啊，不要讓他們不想跟我聊天。」

媽媽說：「這才是真正的原因呢。」

✏️ 想一想你會怎麼做？

❶ 什麼是朋友？朋友會因為你手機不好，沒有軟體就不跟你當朋友嗎？請以九宮格完成你通常用手機跟朋友做些什麼。

❷ 請標出上一題中完成的九宮格，哪些是「需要」？哪些是「想要」？

	玩手遊、交朋友 →想要	
	用手機跟朋友 做什麼	聊天、分享八卦 →想要
網路上「討拍」 的避風港 →想要		看班群訊息 →需要

伸出友誼之手

哲學檔案　什麼是友誼？

亞里斯多德是古希臘歷史上的三大哲學家之一，在他所寫的《尼各馬可倫理學》的第八、第九兩卷討論了「友愛」。亞里斯多德認為友愛的展現，出現在日常生活與人的互動中，而且認為所謂的「幸福」，是能在友愛中體會到。

第九卷提到：「對朋友的愛，是自愛的延伸。」意思是，對待朋友就如同對待另一個自己。要做到真正的友愛，就要以「善意」為出發點。所以如果你的自愛（對自己的愛）是指「從朋友身上得到好東西與好名聲」，那是不應當的，也不可能得到對自己的愛。只有愛自身中最珍貴的部分，譬如最純真的心意，才是真正應該去努力、付出的。所以什麼是你生命中最珍貴的部分呢？哲學家往往會用良好的品格來做判定。

第八卷中提到：「友愛需要互有、互知善意，且這種善意是出於善、愉悅跟用處。」朋友的愛是自愛的延伸，用品格中珍貴的部分與朋友和同學「善意」的互動，這互動是公平、和諧的，並不是某人過多的付出，某人

一味的接收。因此,關於文中的「用處」,並不是以利益考量是否成為朋友,亞里斯多德這邊提到的「用處」是指能持續滋養雙方的善或愉快,並非短暫的善跟愉快。真正的愉快絕對不會只停留在物品,譬如你收到好朋友的小禮物,即便你喜歡這禮物,但你開心的不是因為禮物,而是開心好朋友「想到你」,這個「想到你」就是「友愛」的展現。

CHAPTER 2
適當的言語與行為

第 1 單元
關係中的安全範圍

💬 不喜歡被取綽號

芸芸最近在學校時都會穿著長褲,即便天氣漸漸轉熱,上體育課她也不願意換短褲。

小恬好奇的問芸芸:「妳不熱嗎?我都已經熱到想穿短袖了,妳怎麼還穿得住長褲。」

芸芸紅著臉,小聲的說:「我不喜歡男生們給我取的綽號。」

「綽號?什麼綽號?」小恬在飲水機前問。

「就……哎喲……很讓人討厭的綽號啦。」芸

芸有點尷尬的低頭裝水。

「說嘛，妳說來讓我評估一下，搞不好一點都不討厭。」小恬說。

「就……小飛象……」云云說著，還順便摸了摸大腿。

小恬認真的用眼神掃描一下芸芸全身，說：「拜託！就妳那個腿嗎？他們腦洞也太大了吧。」

「妳這樣不好，總不能大熱天還穿長褲吧，我要去跟那些臭男生講。」小恬說。

「不要啦……我覺得這樣不太好。」芸芸緊拉住小恬。

「難道妳要這樣讓他們欺負？」小恬生氣的說。

「嗯……我再想想該怎麼辦……」芸芸可憐兮兮的看著小恬。

「那給妳一個禮拜的時間，我下禮拜再問妳要怎麼做喔！」

「啊，熱死了！我要裝冰水！冰水！」小恬氣

呼呼的看著芸芸。

※

但其實不用等到下禮拜，芸芸在禮拜五的體育課，就因為太熱暈倒了，直接被送到醫護室。

禮拜一的自習課，班導特別預約了活動教室，半個籃球場大小的活動教室，特別擺放了塑膠椅，整個教室顯得非常空曠。

同學們嘰嘰喳喳的聊著天，鈴聲響起就看到班導帶著檔案室的白老師一起出現。

「老師今天邀請了圖書館的白老師跟大家做晨間的學習引導，因為有些人覺得動動口開玩笑、動動手打鬧，感覺很兄弟，事實上傷人卻不自知，所以才有今早這個活動。」班導說。

「我們鼓掌歡迎白老師。」同學們響起掌聲。

「大家好，我是檔案室的白老師，我們早上來活動一下身體。各位同學先想想看，當你坐在這邊，另一個人坐旁邊時，你希望你跟周圍的人之間的距離

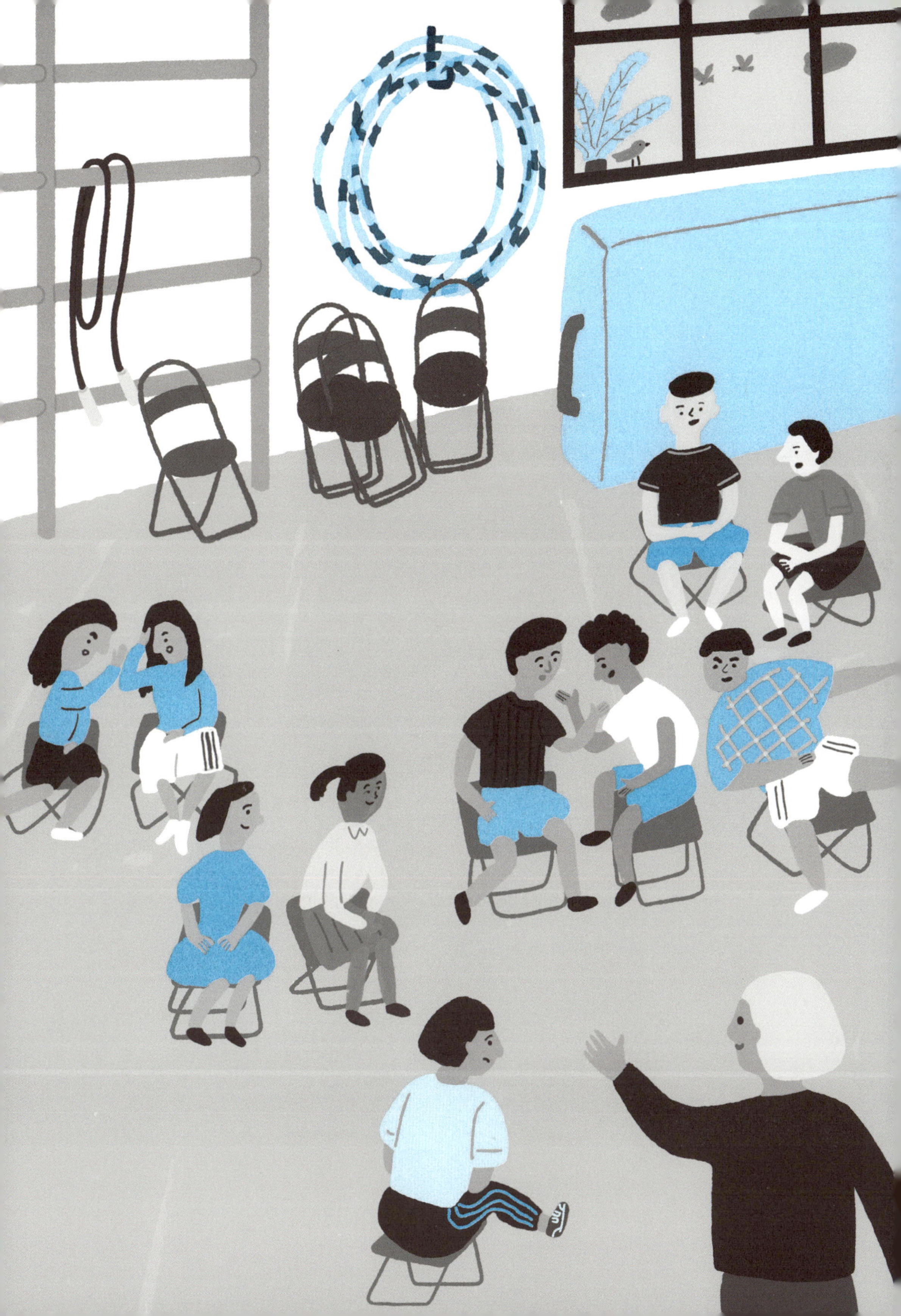

是多大？請拿塑膠椅擺擺看。」

有位同學舉手問：「老師，請問我旁邊的是我的好朋友，還是普通朋友？」

「這是一個好問題，其實我們可以用四種不同熟度的人，分別是陌生人、朋友、好朋友、家人來思考。」白老師說。

「我們在學校，就先從好朋友來試試吧。」

這時候就看到女生們興奮的搬起椅子，快速的聚集在一起。

男生們有點慢半拍的感覺，在耍帥與尷尬間，微微移動一下步伐，跟剛進來教室的位置並沒有相差太多。

但過了三分鐘左右，女孩們的興奮可能有點降溫，即便三五成群，但不是一開始的肩並肩、膝靠膝，而是略微調整一下椅子的角度，拉開一點距離。

男孩們倒是慢慢看出移動幅度，能看到某些人與其他人特別遠。

連班導都有些驚訝這樣的群體距離。

小恬本來就活潑，很快的就跟好朋友聚在一起，回頭瞄一下芸芸，發現她默默在旁邊還沒認真挪動，就對她招招手，要她過來。

💭 身體界線

挪動聲逐漸安靜後，白老師看到大家坐定，就在教室的電子白板上很快畫下一個超大的九宮格，說：「你們應該發現了，你跟你的朋友，即使是好朋友，現在的位置並沒有緊緊黏在一起，還是有大約一個手掌的距離。」

同學們紛紛低頭，伸出手測量。「真的耶！」有同學驚呼。

白老師繼續說：「這些位置剛剛都是你們自己挪動的，這一個手掌的距離，是你們面對好朋友最低的『**身體界線**』。」

「現在請大家動動腦想想，對你來說『身體界線』像是什麼？我們快問快答。」

「像護城河！」班長首先說。

「警告牌，不能再接近了！」「防護罩。」同學們陸續發言。

白老師立刻將大家的發言填入空格，並在九宮格上，寫下了類別名稱：「**身體界線**」。

白老師接著說：「同學，我們想一下，當對方

防護罩	牆	盔甲
空間	身體界線	禁止進入的指示牌
隔開	護城河	三角錐

任意踏進這個你設定的邊界，你有什麼感覺呢？」

同學七嘴八舌的鼓譟著。

「我會很不開心。」「感覺心跳加快，很有壓力。」「忍一忍吧！」「請他往外移。」「我自己往後退。」

「我需要有人自願當小幫手。」白老師說。

這時候芸芸居然怯怯的舉起手，因為她忽然有種感覺，她介意男生們說她腿粗的問題可能跟身體界線有關係。

「太感謝這位同學了，請上臺。」白老師邀請芸芸上臺。

「接下來請妳躺在地上，我會畫出妳的人形外框，之後妳再用繩子為邊界，在人形圖的周圍，框一個妳希望別人和妳相處時最舒服的距離。」

大家都離開椅子圍著芸芸，看老師畫出躺在地上芸芸的人形輪廓。

「好的，感謝妳，妳先起來，接下來用繩子框

出妳希望別人和妳相處的最舒服距離。」白老師將手中的童軍繩遞給起身的芸芸。

芸芸有點害羞，紅著臉，慢慢依著自己的身體圍出一個外框。

「哇，需要我半隻手臂寬耶！」一位同學用自己的手臂做量尺，說出他的測量。

「妳需要這麼寬的距離啊！」另一個同學說。

「感謝這位同學，其他人也請回到原來的座位。」白老師說。

心理界線

在同學就座的同時,白老師很快在電子白板上又畫下新的九宮格,中間寫上**「當別人越界時,你會如何做?」**。

「請大家一起腦力激盪一下。」白老師說。

「直接臭臉,讓對方知道我不舒服、不開心。」「我會直接說,有事嗎?問他想幹嘛。」「我會先觀察,可能當下不會說出心裡話。」「我不敢說……」

我會先觀察,可能當下不會說出心裡話	我會直接說,有事嗎?問他想幹嘛	我會清楚讓對方知道我當下在意什麼
默默忍受不舒服的侵犯之實	當別人越界時,你會如何做?	我不敢直接對他們表達我的不滿
我只會在朋友背後抱怨他們	我不好意思拒絕	直接臭臉,讓對方知道我不舒服、不開心

白老師立刻將大家的發言寫在空格上，並說：「我們現在試試另一種分類方法，叫做『KJ法』。這方法可以幫助我們將剛剛用九宮格腦力激盪出來的點子進行分類和歸納，進一步整理出問題的思路。」

　　接著，白老師利用KJ法，帶領同學將九宮格上的點子分成兩個類別：「**直接說清楚型**」和「**隱忍型**」。

　　白老師補充：「你們整理得很棒，大家都知道自己會感到不舒服，只是表現出來的方式不同。有些人選擇『直接說清楚』，而有些人則屬於『隱忍型』。」

　　「最一開始搬椅子的活動，我們思考的是身體的舒適距離。其實人跟人之間，心理上也是需要舒適的距離。什麼是可以接受的，什麼是不可接受的，這『可不可以接受』也是一種距離，我們稱為『**心理界線**』。這兩個都是同樣重要，甚至是互相連動的。

　　「你們再想一想，你的身體界線與心理界線，為什麼會有人踏進來呢？」白老師拋出今日最重要的引導。

「是別人不知道嗎？」白老師問。

「應該是吧，又不是打電動，頭上不會自動出現浮動備注，寫著『我跟朋友的身體舒適距離是一隻手臂』。」一位同學回答。

「因為不是打電動，頭上不會自動出現備注，所以我們應該要怎麼做？」白老師問。

「告訴別人或是身體自動拉開距離嗎？」芸芸說。

白老師點點頭，說：「如果你什麼都不說，其實別人不知道他讓你不舒服的。」

「老師，但我覺得直接說很尷尬耶。」小恬這時候舉手。

「我們來想想，為什麼人家踏進來後，我卻不敢直接對越界者表達自己的不滿、說真心話？」白老師順著小恬的回答問。

此時班上的同學你看我，我看你，不知道如何回答。

白老師繼續拋問題：「我們如何表達是不是也影響了別人對待我們的方式呢？」

白老師轉身在電子白板上繼續新畫個九宮格，中間寫下「心理界線畫清楚的優點」，並快速填滿剩下八格。

可以清楚知道該如何對待自己	不用再忍受不舒服對待	可以讓自己清楚知道自己能做到什麼
可以清楚知道什麼是我喜歡的	**心理界線畫清楚的優點**	拒絕超出預期的事情
可以清楚知道什麼是我能接受的	不會讓別人予取予求	有規則就能讓自己舒服

「幫助自己建立『**心理界線**』，對你自己而言，是為了知道什麼可以，什麼不可以。界線畫清楚後，很自然懂得如何回應同學的越界，因為你非常清楚你要什麼，才能夠拒絕。

「舒適的關係來自明確的界線感，畫出界線幫助我們引導後續與人互動行為的拿捏。因此，**知道自己與他人界線，能更自由且安全的與人互動。**

「另一方面，我們也要學習，如果遇到故意侵犯界線的人，該怎麼保護自己或尋求幫助。」

白老師在早自修結束鐘響時，為今早的活動做了大總結。

✏️ 想一想你會怎麼做？

❶ 你有身體界線嗎？請分別由家人、朋友、好朋友、陌生人四方面思考。

進電梯不靠太近		
	陌生人	填問卷資料
在公車/捷運上身體被觸碰	不認識的人請吃零食	

❷ 當家人、朋友、好朋友、陌生人越界時，各個狀況下你會怎麼做？

往四個角落挪動		拿出手機打給家人
按下一層按鈕，離開電梯	陌生人跟我一起進電梯靠我太近時，我要怎麼辦？	
		移到其他大人旁邊

第2單元
網路不當行為

網路上講壞話

下課鐘聲響起,小柔轉身跟坐在後面的小語說:「妳有沒有覺得最近婷婷跟小靜怪怪的,平常都一起回家,最近我發現她們都分開走。」

小語拿出書包內的零食,打開往嘴裡塞了一塊,順便也將零食推給小柔,說:「是有點怪怪的,但我下課都坐安親班的車,沒機會仔細觀察。」

小柔順手拿了塊餅乾放入嘴中說:「聽說她們好像是玩遊戲鬧不愉快。」

「玩遊戲？妳說我們最近常玩的那款養成手遊嗎？」小語說。

「對啊，好像是她們原本要合作，結果其中一方耍陰招。」小柔八卦的說。

「等等……應該不會吧，我雖然沒常常玩，但覺得大家組隊時還滿和諧的。」小語說。

「好學生！妳果然不常上線，都不知道我們早就另開線上小群組，在裡面聊的熱火朝天。」小柔說。

「嗯，在網路上搞小群組說其他人不太好吧。」小語皺了皺眉頭。

小柔閉上嘴巴。「好啦，不說了，反正妳也不想聽。」

❉

隔天中午午休時，小語一個人偷偷摸摸的來找白老師。

「老師好，我想請教一個問題。」小語小聲、躡手躡腳的走進檔案室。

「請坐，不用這麼小聲，雖然是午休時間，但妳也太輕手輕腳了吧。」白老師看了眼小語，笑了笑說。

小語不好意思的坐下說：「老師，不好意思，我想請問一個狀況。妳這邊有沒有能解決在網路上無止盡講他人壞話的檔案可以參考呢？」

白老師替小語倒了一杯溫開水。「我想想啊……目前沒有，但妳的這個事件或許能成為這類案例中的第一個檔案。」

「妳願意說給我聽聽嗎？」白老師拉開小語對面的沙發坐下。

「事情是這樣的，班上的女生們下課後會玩一款線上養成手遊，就是連線遊戲，我應該是裡面最不常上線的。昨天聽到朋友說大家在線上開了個小房間聊天，所以昨晚我就上線參與。

「上去後才發現，其中有位女生——小靜，正帶頭跟大家討論婷婷，而且說的話都不太好聽，譬如說她很三八啊，只會跟男生組隊之類的。

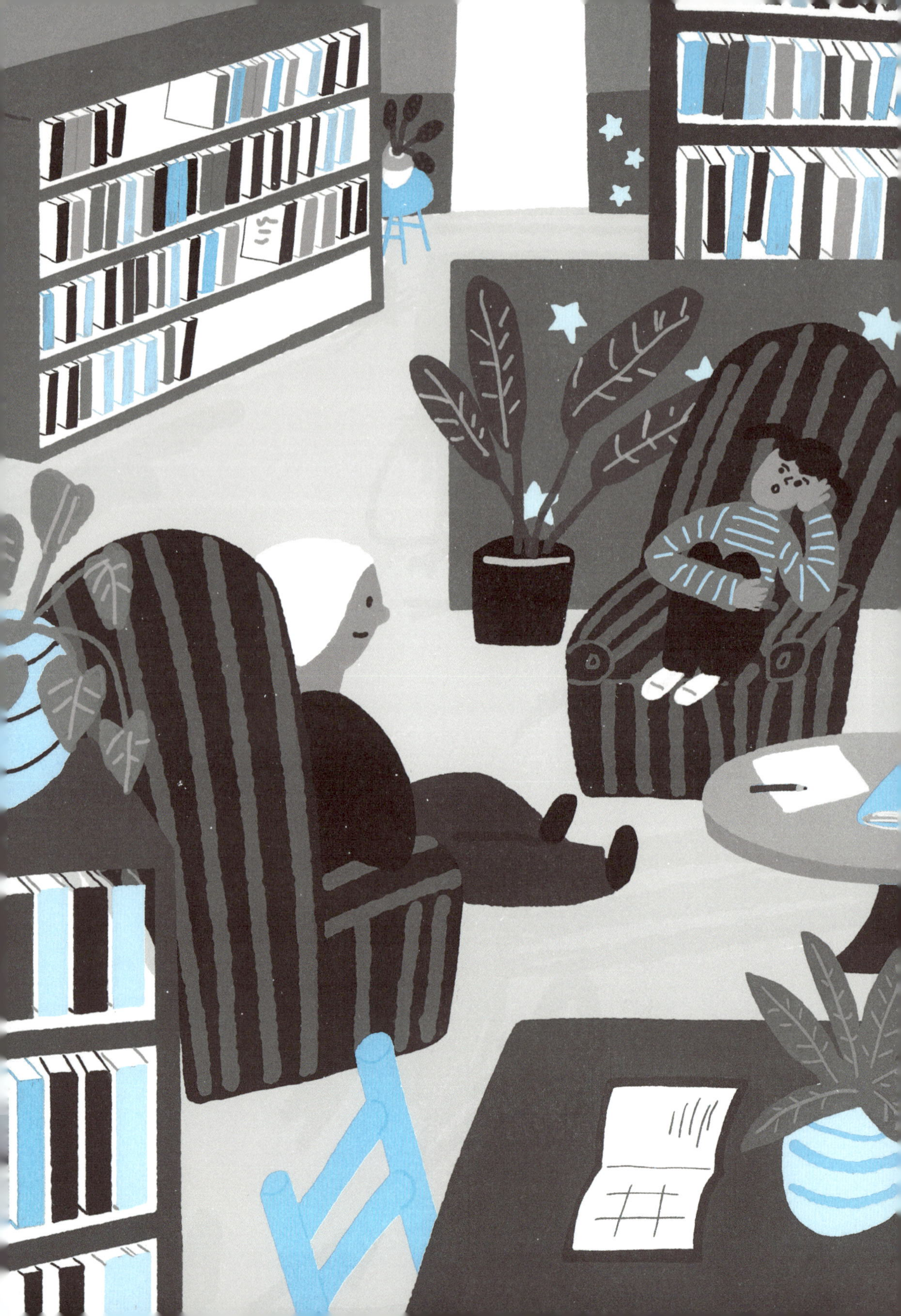

「我待了五分鐘覺得沒意思就下線了。下線後心裡有點悶悶的，覺得聚在一起批評別人不太好，雖然沒有實質上的傷害，但還是覺得怪怪的。

「但大家在網路上都用暱稱或數字，是因為我們同班才知道這些數字或暱稱是誰在發言，指的是誰。

「我在想，如果我是婷婷，知道背後有人這樣談論我，一定很難過。

「在網路上大家好像就覺得沒束縛了，什麼話都敢講耶！有些平常跟婷婷不熟的，居然也說得好像真的看到什麼一樣。

「其實我很難過，卻也不知道該怎麼辦，所以才來找妳。」小語一口氣說完一整段故事。

白老師聽著也皺了皺眉頭說：「這個事件可能要歸檔成紅色檔案。」

「果然是很嚴重的問題啊！」小語接著說。

「這個事件中要區分成兩個問題來釐清，第一

個是『網路上談論辱罵或嘲笑他人，算不算傷害他人』，第二個是『為什麼網路身分讓你覺得可以隨意發表言論』。」

「我們先從第二點倒回來思考，妳覺得為什麼在網路上讓他們更能隨意說話？」

白老師拿出一張空白紙畫上「**同理心地圖**」，填上想到、看到、聽到、說或做，並在中間寫下「在小房間聊天的小靜」。

看著合力與白老師完成的同理心地圖分析，小語有點訝異。

沒想到在「想到」這方面，白老師在她原本寫下的「只要幾分鐘，酸人的話就會往外傳，很多人會看到，還有人會接棒一起酸」後面填上「感覺自己很厲害？」這是小語沒想過的。

白老師還填入「**痛點**」與「**甜蜜點**」，小語心想：「原來小靜很想要朋友，社群媒體是她找到朋友的管道啊！」

想到

別人看不到我，不知道是我說的，所以不會影響我在班上的交友狀況。

只要幾分鐘，酸人的話就會往外傳，很多人會看到，還有人會接棒一起酸。感覺自己很厲害？

網路世界比真實世界安全多了，我可以盡情以字字句句宣洩。

現實世界中，看到被我留言攻擊的人在哭，或者說想自殺，那都是在討拍。

聽到

只要用虛擬的帳號、圖片，不會知道誰在罵人，就沒有被報復的問題。

嘲笑、排擠別人、造謠、傳播八卦……都不會有人知道是我。

現實中亂講話是直接一拳過來，網路不會被揍，當然講話就比較嗆。

在小房間聊天的小靜

看到

即便不打交道也可以傷害到我不喜歡的人。

被攻擊的同學，就好像被蓋上布袋，萬棍亂打，無力招架。

有人附上文字和照片，要揪出報馬仔，我擔心自己是下一個，就一起開罵。

說或做

攻擊別人毫不費力，只需動動幾根手指，就有一堆酸民跟進助陣。

我如同透明人，可以發動不受任何形式約束的攻擊，給對方強大的威脅感。

痛點

不跟同學一起嘲諷辱罵，有可能成為下一個被網路霸凌的人。

我為自己缺乏勇氣不跟進謾罵的行為感到很不舒服。

甜蜜點

社群媒體是我們聯繫情感的主要窗口。

適當的言語與行為

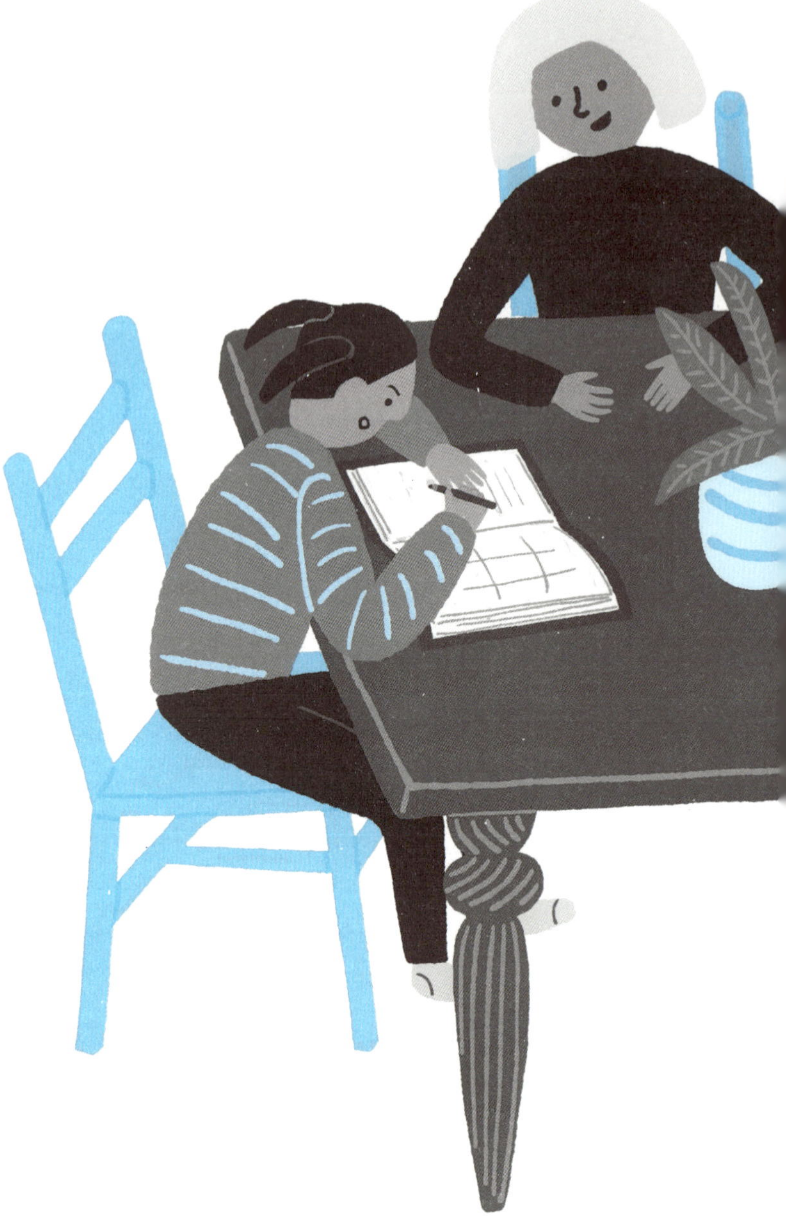

💬 不應該以傷害他人建立自信與友誼

「妳覺得這些自以為自在、是透明人的思考正確嗎？」白老師問小語。

「當然不對！」小語說。

「自以為匿名沒人知道，但怎麼可能沒人知道呢？一些小細節都能讓人猜到你是誰，你在說誰。」

「沒錯，英國哲學家休默也提出『人格同一性』的理論，簡單來說，就是若某人開設了多個身分，在不同帳號中經歷的不同感知，但由於使用者是同一個你，不同身分、不同帳號的感受都會因為能夠被『記憶』、『因果』而串聯在一起時，就證明那些不同帳號經歷的不同經驗都能夠被匯集成『一個人』，也就是某人因為『記憶』而顯現出『人格同一』，就算匿名也會被發現。」白老師喝了口溫茶說。

「既然你還是你，不可能因為匿名就不被人發

現，回到第一個問題，妳覺得網路上談論辱罵或嘲笑他人，算不算傷害他人？」白老師看著小語。

「如果不在群組，不知道好像就不會有傷害。但為什麼覺得怪怪的？」小語很困擾的敲敲自己的腦袋。

白老師說：「我們先來理解『**有形傷害**』與『**無形傷害**』是否都屬於傷害好了。」

白老師再拿出兩張空白紙，請小語在短時間內，在九宮格上寫出「會對別人造成傷害」的行為，寫越多越好。

小語低著頭認真的寫著，偶爾抬頭看向白老師的方向，思考一下。

幾分鐘後。「我覺得我應該能想到的是這些。」小語有點害羞的說著，順便把紙張遞給白老師。

白老師在面前的空白紙上，對小語的內容以「**KJ法**」分類。

在別人背後閒言閒語	毀謗別人	控制別人行為
言語威脅	**會對別人造成傷害**	斷絕別人與他人的聯繫
騷擾別人	忽視別人	嘲諷辱罵
自己對自己身體造成任何傷害	讓別人感到自己根本不重要	漠視對方需要的幫助
剝奪別人的資源和機會	**會對別人造成傷害**	故意讓他們感到不受歡迎
不給予支持或同情	不關心他人的情感需求	操縱控制別人

適當的言語與行為

會讓身體受傷	身體沒受傷，但是心理非常難過
自己對自己身體造成任何傷害	在別人背後閒言閒語
	言語威脅
	毀謗別人
	忽視別人
	控制別人行為
	嘲諷辱罵
	剝奪別人的資源和機會
	騷擾別人
	斷絕別人與他人的聯繫
	不關心他人的情感需求
	不給予支持或同情
	讓別人感到自己根本不重要
	漠視對方需要的幫助
	操縱控制別人
	故意讓他們感到不受歡迎

「妳有沒有發現，傷害其實包含心裡不舒服。就是『**身體沒受傷，但是心理非常難過**』這一大類。」白老師指了指分類欄位。

「而且占比非常大。」白老師說。

小語低頭看著分類後的紙張驚嘆著：「真的耶！我自己都沒注意到，原來我覺得的傷害，大部分不是身體受傷。」

「所以回到第一個問題，妳覺得網路上談論辱罵或嘲笑他人，算不算對他人造成傷害？」白老師看著小語問。

「是的，因為也會令人不舒服。」小語肯定的說。

「如果自以為別人聽不到，而做出傷害行為，這樣可以嗎？」白老師問。

「不能，因為傷害就是傷害，怎麼能因為別人可能不在場就做呢！」小語堅定的說。

「所以妳會怎麼與這樣的人相處？」白老師用

溫柔的眼神詢問。

「我……我應該沒辦法跟他成為朋友，因為他傷害別人卻不自知，這樣的人沒有自覺，會到處傷害其他人。」小語有點悲傷的說。

「這個決定很有勇氣喔，我非常同意妳。」白老師接著說。

「當妳與他疏遠，別人也與他疏遠，然後更多的人都與他疏遠，妳覺得他還能這樣自以為是的做他想做的嗎？」

「應該不能，但為什麼呢？」小語覺得自己好像要找到解答了。

「因為他將沒有可以說的對象，沒有朋友，只剩他自己。原本想要藉著說別人什麼而搞小認同、小圈圈，到最後反而將所有人都推得遠遠的，因為沒有人想被傷害。」白老師溫柔且堅定的說。

小語覺得，今天午休讓她重新找回做自己的勇氣，並且更知道自己想要的朋友是什麼樣的人，她

知道了：

　　「以傷害他人所建立起的自信與友誼，是很脆弱且經不起考驗的。」

✏️ 想一想你會怎麼做？

在網路上亂說話的朋友，現實中你會怎麼與他相處？試著用九宮格和KJ法分析看看。

		絕交
網路上直接澄清	當好朋友在網路上代替你發言，你會怎麼做？	
反擊 （你是在說你自己吧！）		隔天到學校直接跟他表明不喜歡，請他協助做後續澄清

傷害彼此友誼，事情沒解決	友誼維持，但心裡不舒服	友誼維持，問題解決
絕交	網路上直接澄清	隔天到學校直接跟他表明不喜歡，請他協助做後續澄清
反擊（你是在說你自己吧！）		

適當的言語與行為

哲學檔案 什麼是「關係中的安全範圍」？

「關係中的安全範圍」其實討論的是「界線」的問題，而界線有分「身體界線」與「心理界線」兩部分，就是自己對別人距離感的把握，譬如即使是好朋友也不能亂擁抱。

明朝哲學家劉宗周在他四十八歲的時候，提出了「慎獨」的概念。所謂的「慎獨」，是指你可以時時想起你有顆清純透亮的「心」，時時「反省」自己，特別在與別人相處、遇到事情時，透過反省能知道自己該做到哪裡。

不能做的事情或行為，是因為它超出你應該管轄的範圍，雖然有時候會想做，但你的心克制你，你能管轄的也只是你自己而已，頂多再涉及與你極度相關聯的人與事而已，譬如你的家人。因此人與人的相處是有明確安全範圍的，「把握關係中的安全範圍」所帶出來的其實是自重、自律的態度。

「慎獨」最早出現在《禮記・中庸》，提醒人時時注意自己的行為與起心動念。〈中庸〉提的比較屬於個人修養，但「慎獨」不只是指一個人獨處的時候，時時

做個人心的「修養」（品格提升），也在與人接觸時，同時進行「反省」的工夫，看看自己的心是否有偏失。

在網路發達的時代，自以為躲在螢幕後面就可以毫無邊界的亂講話，劉宗周的「慎獨」就特別有警醒的作用，那是「安全範圍」的自覺訓練；自己的心在沒有與人互動時「修養」，與人接觸互動時「反省」。這樣，即使在很多人的地方，都能好好做自己，活出本真的自己；不自欺欺人，不給心中小惡魔機會，也不會給自己藉口。

因此，能把握「關係中的安全範圍」的人，更能自由且安全的與人互動。

CHAPTER 3
學會掌控時間

第 1 單元
在合理的時間使用手機

💬 神祕的白頭髮老師

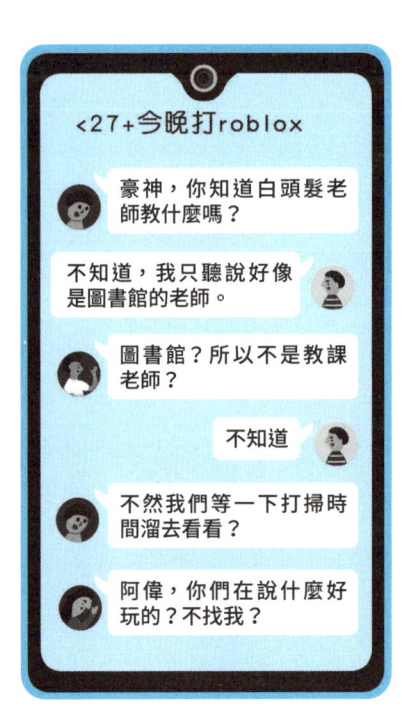

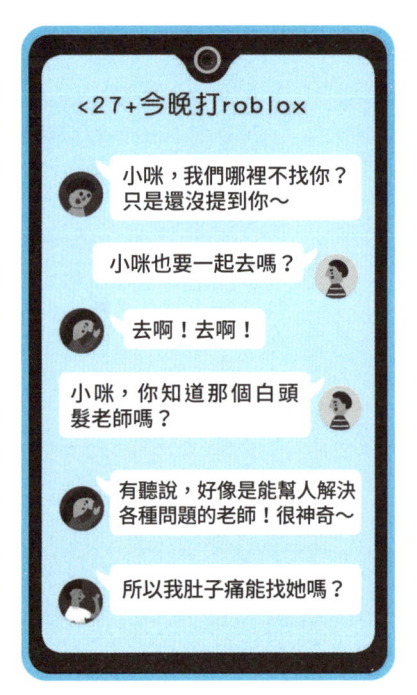

<27+今晚打roblox

- 豪神,你知道白頭髮老師教什麼嗎?
- 不知道,我只聽說好像是圖書館的老師。
- 圖書館?所以不是教課老師?
- 不知道
- 不然我們等一下打掃時間溜去看看?
- 阿偉,你們在說什麼好玩的?不找我?

<27+今晚打roblox

- 小咪,我們哪裡不找你?只是還沒提到你~
- 小咪也要一起去嗎?
- 去啊!去啊!
- 小咪,你知道那個白頭髮老師嗎?
- 有聽說,好像是能幫人解決各種問題的老師!很神奇~
- 所以我肚子痛能找她嗎?

中小學生必備!問題解決力的思辨工具書 上

90

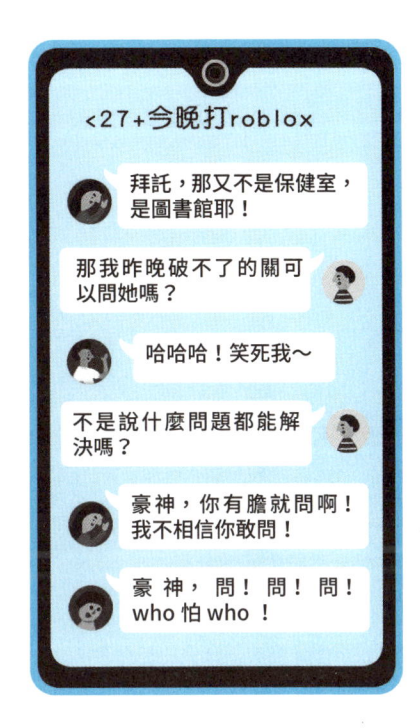

> <27+今晚打roblox
>
> 拜託,那又不是保健室,是圖書館耶!
>
> 那我昨晚破不了的關可以問她嗎?
>
> 哈哈哈!笑死我~
>
> 不是說什麼問題都能解決嗎?
>
> 豪神,你有膽就問啊!我不相信你敢問!
>
> 豪神,問!問!問!who 怕 who!

「阿偉!吃飯吃快點啦!我還要收廚餘耶。」阿彬說。

「好啦,豪神說要去問圖書館白頭髮的老師一個問題。」阿偉笑得坐姿都歪了。

「你們很奇怪耶,明明就坐在前後,幹嘛不用說的,要用手機講。」阿彬說。

「我說彬哥啊,這你就不懂了,有些話用手機傳比說的有趣。」阿偉說。

「我是不懂啦,我只懂再五分鐘就要午休,你們快點吃完,不然不等你們,我要去收廚餘了。」

「是是是!」阿偉放下手機,快速扒了兩口飯,然後鼓著滿嘴食物的臉對著阿彬笑。

校內放著臺灣民謠的交響樂，告訴大家放學前的打掃時間開始了。

　　阿偉、小豪、小咪三人拿著各自的掃除用具，偷溜到圖書館。

　　「要帶掃把進圖書館喔？好尷尬！」小咪委屈的說。

　　「放在門口如果弄丟的話，老師一定會生氣。」阿偉說。

　　「你們說的白頭髮老師在哪？」小豪在門口探頭探腦問。

　　「我記得同學說在圖書館的檔案室。」小咪無奈的看著手中的掃把。

　　「那走吧！」阿偉拿起手中的垃圾夾，對小咪「喀喀」的夾了兩下。

　　三人躡手躡腳的走進圖書館，在圖書館的盡頭看到「檔案室」的牌子。

在三人推拖著誰要開門時，門「刷！」的從裡面被拉開。

白老師淺淺笑著，比著門口監視器說：「我想你們應該是來找我的。」

阿偉、小豪、小咪害羞又尷尬的點了點頭。

白老師說：「進來坐坐吧！」

白老師向後讓開，身後出現一排排的檔案架，上面有著藍色、綠色、紅色的檔案夾。

阿偉坐下後馬上掏出手機。

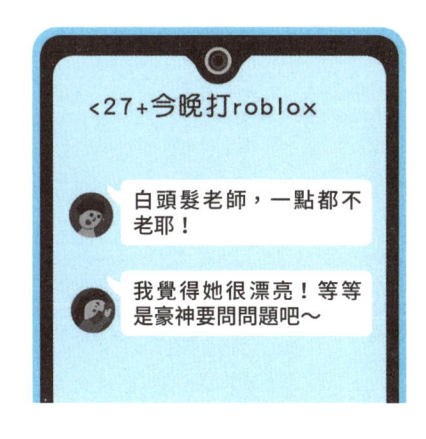

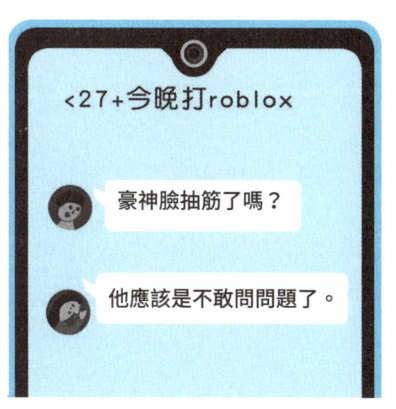

<27+今晚打roblox

白頭髮老師，一點都不老耶！

我覺得她很漂亮！等等是豪神要問問題吧～

<27+今晚打roblox

豪神臉抽筋了嗎？

他應該是不敢問問題了。

小咪與阿偉把臉從手機螢幕上抬起，看了小豪一眼。

小豪用眼神示意他們收起手機。

白頭髮老師看了一眼三人的小動作，從檔案架的第二排抽出一本綠色檔案夾。

「今天來找我有什麼事嗎？」

小咪與阿偉握著手機看著小豪。

小豪支支吾吾的說：「就……就是來看看……檔案室有什麼？」

小咪當場翻了白眼。

白老師淺淺笑著說：「歡迎參觀，我手中的這份檔案或許能讓你們更理解檔案室，也更認識我。」

白老師把綠色檔案放在小茶几上。小咪與阿偉收起了手機，跟著小豪一起翻閱。

▍941號檔案

人物基本資料

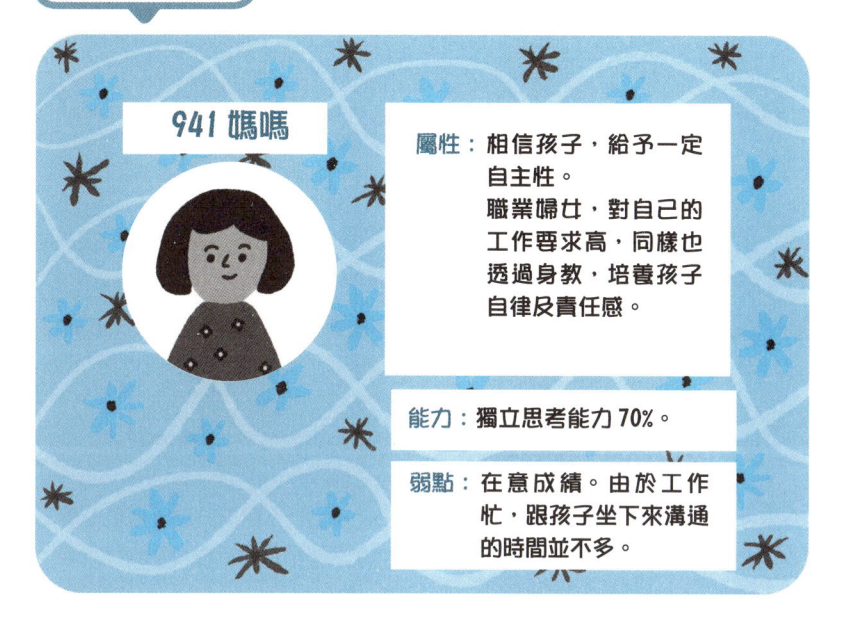

941 媽媽

屬性：相信孩子，給予一定自主性。
職業婦女，對自己的工作要求高，同樣也透過身教，培養孩子自律及責任感。

能力：獨立思考能力 70%。

弱點：在意成績。由於工作忙，跟孩子坐下來溝通的時間並不多。

941 姊姊

屬性：成績好，自律性高。上國中後，進入青春期，有自己的朋友，跟弟弟不常玩在一起。畢竟是家人，跟弟弟關係並不差。

能力：獨立思考能力 70%。

弱點：每天下課後要去補習，常常無法參與家裡的大小事。

941

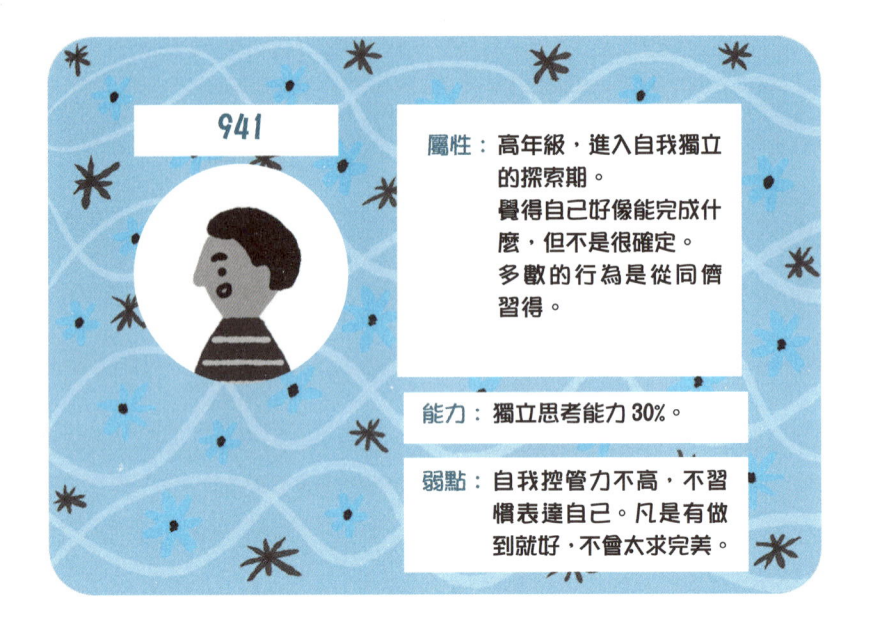

屬性：高年級，進入自我獨立的探索期。
覺得自己好像能完成什麼，但不是很確定。
多數的行為是從同儕習得。

能力：獨立思考能力 30%。

弱點：自我控管力不高，不習慣表達自己。凡是有做到就好，不會太求完美。

　　翻開檔案的第一頁是清晰的人物特質分析，阿偉、小豪、小咪注意到941檔案上寫著：

　　「當你凝視深淵時，深淵也在凝視你──尼采《善惡的彼岸》」

　　「這句話看不太懂？」小咪抬頭看了小豪跟阿偉一眼。

　　小豪跟阿偉也是一臉茫然，於是三人繼續往下看。

▌941 檔案內容

「從今天開始你的手機沒收！」941媽媽坐在餐桌前對941說，順手撈起並沒收了桌上的手機。

「憑什麼！」941一臉憤恨，推開眼前的餐碗，對媽媽咆哮。

「憑我是你媽！憑你這次月考退步十幾名！憑你根本沒搞清楚狀況！」媽媽也拔高聲咆哮回覆。

「我長大了！我會自己管好自己，而且退步跟手機沒關係。」941激動的站起來。

「你最好覺得沒關係！我看你時不時就握著手機打手遊，根本沒搞清楚我給你跟你姊手機的用意，最重要的是方便聯繫你們，而不是讓你一直打遊戲。」媽媽直接拍桌怒吼。

「我不吃了！」941直接起身回房，大力甩門表達自己的憤怒。

「不吃就不吃！你自己好好反省什麼才是最重要的！」媽媽也站起來對著房門咆哮。

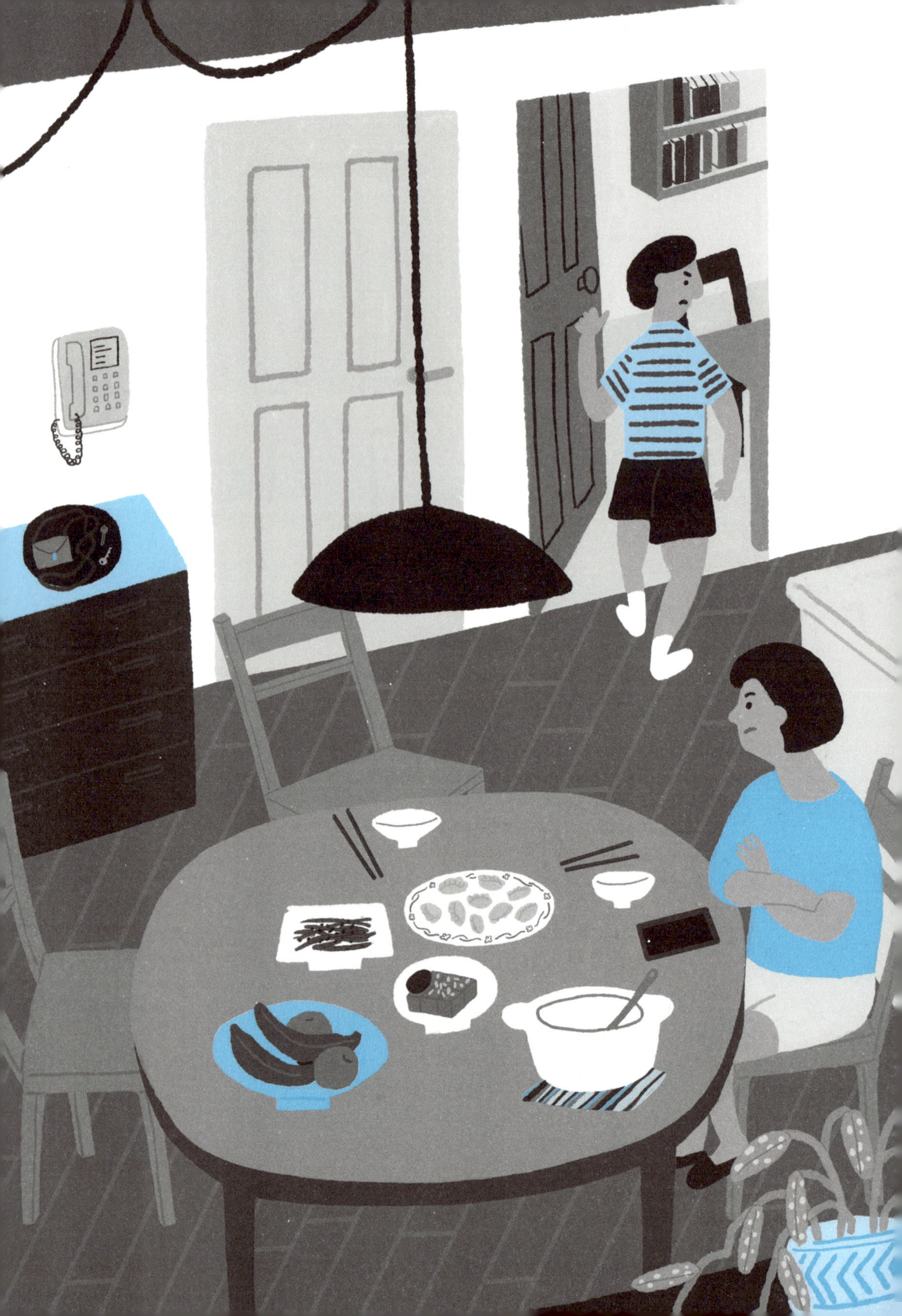

❋

晚上十點，補習完回家洗好澡的姊姊敲了敲941的門說：「睡了沒，我要進去囉！」

「妳來幹嘛？」941悶悶的聲音從裡面傳出。

「聽說你跟媽吵架了，我想跟你講一下話。」

「妳是要幫媽說話嗎？那妳還是趕快去睡吧！」941說。

「可是我有辦法幫你拿回手機耶，這樣你還不讓我進去嗎？」941姊姊在門邊說。

此時門以最快的速度打開。「快來幫幫我，沒有手機好難受。」941說。

姊姊直接把補習班測驗卷拍在941臉上。「你啊！自律點行不行？」

「我們班同學都在打手遊，沒有跟他們一起玩遊戲，平常講話就沒話題了。」941可憐兮兮的跟姊姊說。

「你確定你玩手機只是為了跟朋友有話題？你

沒有沉迷？」941姊姊雙手抱胸走進房間，坐在書桌前。

「什麼沉迷？我有嗎？」941一臉不解的關門，坐在地板上。

「我們先分析你有沒有沉迷好了。我們來玩個快問快答遊戲，在一首歌的時間內，看你能填滿多少個格子。」941姊姊在紙上畫了些格子，並在正中央寫上「什麼情況下，我會將手機放下來」。

「這有什麼難的。」941一臉不服氣的斜眼看著姊姊。

「好，一、二、三，開始。」941姊姊隨即播放了音樂。

941很有信心的卯足全力在格子上東填西塞，但填了幾個後……

上課	睡覺	家人沒繳錢
考試	**什麼情況下，我會將手機放下來**	手機怪怪的
淋浴	兩手拿東西	家人說不能帶
學校說不能帶	打籃球	同學手機比我酷
手機壞掉	**什麼情況下，我會將手機放下來**	被家人沒收
游泳時	身體不舒服	泡溫泉

世界不只有一個手機的大小

「還有什麼啊？」941搖晃著椅子，甩著手中的筆，陷入苦思。

「停！好，我們換下一個挑戰，現在我們來分類這些情況。」941姊姊拿出一疊便利貼，在一張張便利貼上寫下分類名稱。

| 學校 | 家庭 | 自己 | 朋友 |

941姊姊一個個剪下剛填好的九宮格的格子，帶著941進行**KJ法分類**。

學校			
	考試	上課	學校說不能帶

家庭			
	家人沒繳錢	被家人沒收	家人說不能帶

自己			
手機壞掉	身體不舒服	兩手拿東西	泡溫泉
		手機怪怪的	淋浴
			睡覺

朋友			
	打籃球	游泳時	同學手機比我酷

學會掌控時間

103

941姊姊問:「哪些狀況是自願放下手機?哪些是被迫放下手機呢?」

941說:「好像只有『兩手拿東西』、『睡覺』、『游泳』、『打球』、『同學手機比我酷』、時,我會自願放下。」

941姊姊問:「你想一下,為什麼這些時候你會自願放下,游泳是因為什麼?打球是因為什麼?」

941說:「因為有更重要、有趣的事啊,這時手機反而是多餘的。」

941姊姊說:「所以手機讓你打發不重要、無趣的時間嗎?」

941歪著頭想著。

941姊姊繼續說:「既然是不重要、無趣的時間,為什麼有那麼多這種時間呢?以至於你一直拿著手機,浪費超多時間?是生活中重要的事太少嗎?」

941說:「的確滿奇怪的,如果不比打球重要,我為什麼會花那麼多時間,甚至有點喜歡花時間在手

機的感覺呢？」

941的姊姊說：「沉迷不見得是負面的，也有正面的，譬如我就沉迷於偵探小說啊。我覺得媽媽在意的是，你把時間花在連自己都覺得不重要的事情上，占了重要事情的時間。

「所以想拿回手機，應該讓媽媽知道你使用手機只是打發無聊時間，你很清楚一天中有哪些要事要處理，並會掌握時間，不讓時間花在不重要的事情上。只要讓媽媽安心，她就會把手機還給你了。」

檔案最後寫下：

「**當你凝視深淵時，深淵也在凝視你。——尼采《善惡的彼岸》**。」

「當你糾結於網路上的言語、社群而力圖掌控什麼時，這些言語與社群也捆綁、限制你的世界。你的眼、你的心、你的世界只有一個手機的大小，手機的天地連不出無限大的世界，反而因為沒有更高價值，而在循環的空洞中浪費時間。」

❋

　　阿偉、小豪、小咪看完941檔案後，覺得身旁的手機有點燙手，臉紅紅的看著白老師。

　　白老師此時笑咪咪的說：「給你們一個延伸思考：『**記錄使用手機的時間，都拿手機做什麼？想想這些事如何與重要的事切割。**』回去想想，若想聊歡迎隨時再來找我。」

✏️ 想一想你會怎麼做？

❶ 觀察自己使用手機的狀況，都用手機做什麼？

用手機
做什麼？

❷ 沒有使用手機時，自己在做什麼？

沒用手機時
在做什麼？

第2單元
自律與時間管理

💭 不一樣的劇本

　　小彥偷偷摸摸躲在被子內，拿著手機打遊戲，他真的很想在今天累積到五十積分換果實。

　　「刷！」被子突然被拉開。

　　「劉彥碩！你居然不睡覺在玩手機！給我起來！」媽媽氣到頭頂冒煙，快要可以煮開水了。

　　小彥則是一臉驚嚇，全身僵硬得一動也不敢動。

　　「起來！給我來客廳！」媽媽大力甩門出去房間。

　　小彥趕緊關機，起身到客廳。「死定了！」他

心裡想。

「我就覺得你最近怪怪的,測驗卷分數有點差,還以為你吃完飯關在房間裡是在讀書。」媽媽氣得沙發也不想坐。

小彥頭低低,呼吸緩慢,盡量降低存在感。

「真的是給你手機,方便你當隨便啊!劉彥碩!」媽媽看到小彥半句話都不說,更加生氣。

「什麼事?晚上需要這麼大聲講話。」爸爸剛洗好澡從浴室走出來。

「你看看他,都十

點半了,居然沒睡覺,關燈躲在被子裡打電動。你說這像話嗎?」媽媽轉身跟爸爸抱怨。

「別生氣,妳先去晾衣服,我來跟他說。」爸爸拍拍媽媽的背說。

「來,小彥,你先坐,我吹個頭髮,你等等跟我說整件事的經過。」爸爸沒等小彥反應,轉身先回臥室吹頭。

小彥現在腦中一片空白,他要說什麼?就打遊戲啊,能說什麼?

小彥開始思考:

■ 飯後自己的作息活動應該是:

U（使用者）	小彥、爸爸、媽媽
A（活動）	小彥飯後回房間、小彥十點半躺在床上睡覺、爸爸洗澡、媽媽檢查功課、媽媽簽考卷
E（環境）	房間內、書桌、床鋪

I （互動）	自己的大腦、眼睛、手、嘴巴、耳朵、書上的文字或數字
O （物品）	課本、參考書、講義、文具、手錶、燈、手機、棉被、床墊

■ 今晚吃完飯的作息卻是：

U （使用者）	小彥、爸爸、媽媽
A （活動）	小彥飯後回房間、小彥十點半躲在棉被裡打手遊、爸爸洗澡、媽媽檢查功課、媽媽簽考卷暴怒、媽媽衝進房間掀棉被
E （環境）	房間內、床鋪、棉被
I （互動）	自己的大腦、眼睛、手、嘴巴、耳朵、積分點數
O （物品）	手機、棉被、床墊

■ 小彥開始找出兩個劇本的差異性

A（活動）	I（互動）	O（物品）
小彥十點半躺在床上睡覺	書上的文字或數字	課本、參考書、講義、文具、手錶、燈、手機、棉被、床墊
小彥十點半躲在棉被裡打手遊	積分換果實	手機、棉被、床墊
媽媽簽考卷		
媽媽簽考卷暴怒、媽媽衝進房間掀棉被		

現在小彥開始投票，共有五票，在框框中投下自己要跟爸爸講整件事的經過有哪些？如果覺得這件事很重要，可以重複投票。

A（活動）	I（互動）	O（物品）
小彥十點半躺在床上睡覺	書上的文字或數字	課本、參考書、講義、文具 手錶、燈、手機 棉被、床墊
小彥十點半躲在棉被裡打手遊★	積分換果實★★	手機、棉被、床墊★
媽媽簽考卷		
媽媽簽考卷暴怒、媽媽衝進房間掀棉被★		

★投票

自律分配時間

爸爸吹好頭的五分鐘內,小彥運用「**AEIOU活動描述分析法**」(探討問題的根源)快速構思好了說明。

爸爸走來時,順便遞來熱牛奶說:「睡前喝牛奶,有助放鬆。」

小彥接下馬克杯,喝了一口,當牛奶順著喉嚨滑入胃時,真的有種放鬆的感覺。

「來,我先問你,你知道媽媽為什麼那麼生氣嗎?」爸爸邊說邊坐下。

小彥一時卡住,心想:「我的確都沒思考到媽媽為何生氣,我剛剛只想到積分換果實、十點半躲棉被打手遊、考不好。雖然心裡這樣想,但還是先保守一點回應爸爸。」

「可能⋯⋯因為我還沒睡覺吧!」小彥心虛的回答。

「只是因為還沒睡覺嗎?」爸爸再問。

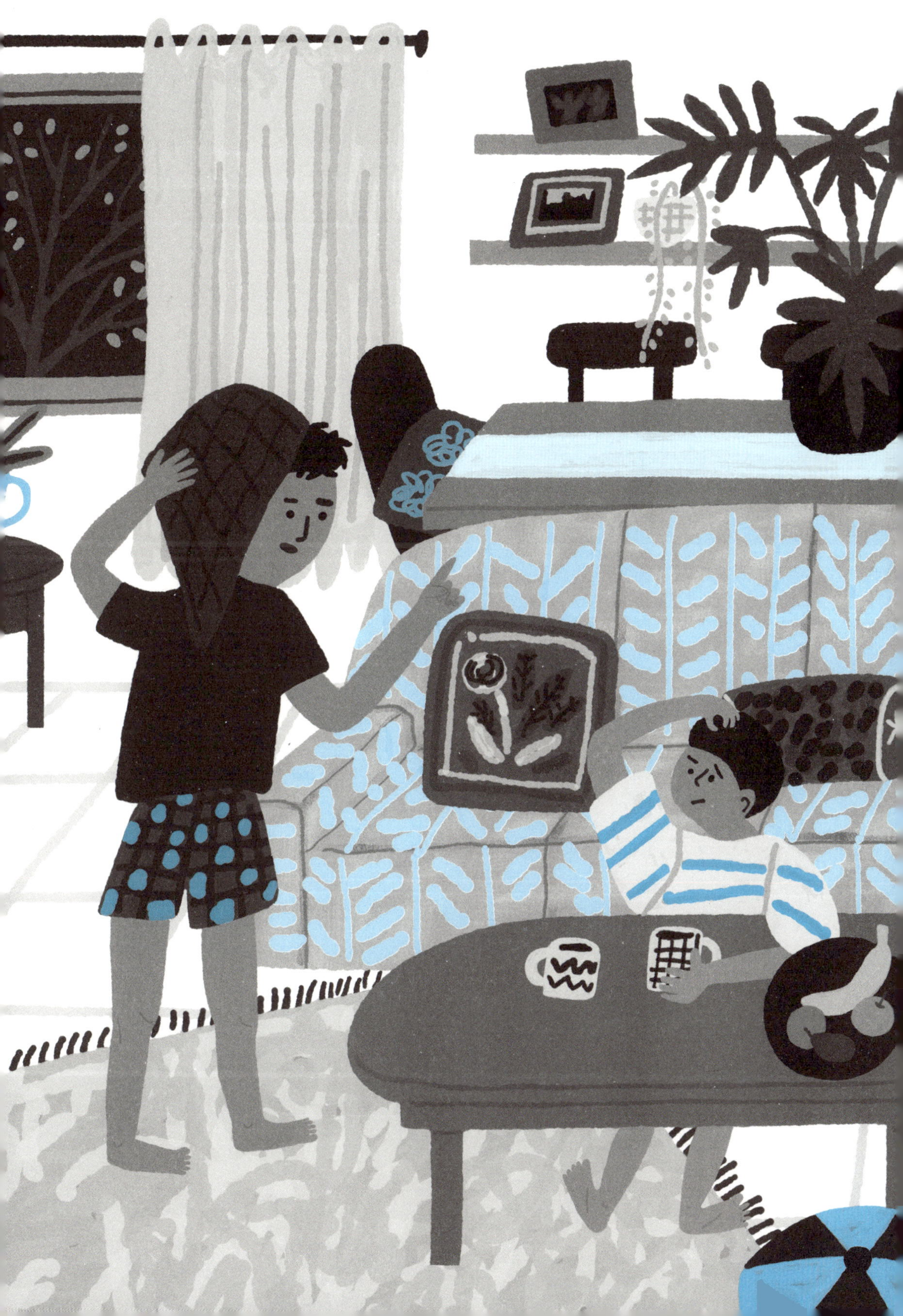

「嗯……還有我測驗卷考不好？」小彥講這句時，帶著詢問的眼神看著爸爸。

爸爸微笑一下說：「媽媽生氣，是因為你不懂節制，不自律。小彥，其實我跟媽媽對你一向很開明，也很尊重你自己分配時間，對吧？」

小彥點點頭。

「那是因為我們相信你可以，你卻辜負我們對你的信任。」

小彥這時腦袋快速回想，思考著爸爸提到「**信任**」、「**自律**」這兩件事情。

一開始思考問題時，他想到媽媽生氣的可能原因是「還沒睡覺」、「考不好」、「積分換果實」，到底哪一個原因可能讓媽媽這麼生氣？

之前設想的AEIOU分析資料中，先假設媽媽生氣的真正原因可能是「積分換果實」，但他覺得好像畫錯重點。

他可能必須要換個思考方式，用之前學到的

「**HMW問題句**」（How might we 我們如何：從很多觀點問題陳述中，找到核心問題）來試試。

小彥對爸爸說：「我原本以為媽媽生氣的可能原因是『還沒睡覺』、『考不好』、『積分換果實』，但我好像畫錯重點，讓我想一下。」

媽媽晾好衣服，偷瞄客廳，看著在客廳安靜喝著熱牛奶的父子倆，一臉狐疑的瞪著爸爸，爸爸給媽媽一個「安啦！」的眼神。

爸媽交換眼神的同時，小彥的小腦袋高速推敲著「**如何能夠自由自在的積分換果實**」，積分換果實可以用「**做自己想做的事（玩手機）**」替換。

小彥如果重新改寫HMW問題句的話：

如何能夠自由自在的積分換果實＝
如何能夠做自己想做的事（玩手機）

連續對這個問句問兩個為什麼，挖掘問題下真正的需要，才能問對問題。

正在興頭上總是被打斷	躲避媽媽的嘮叨	不想一直被爸媽叫去做事情
可以擁有很多選擇權	**為什麼想要做自己想做的事（玩手機）？**	只有念書，所有的手遊都不能玩
不會被別人管控	不是所有遊戲都是可以暫停的	只是超過一點點規範時間，就被處罰

　　將所有的格子運用「**KJ法**」分類，將內容相似的放在一起，再給每堆相似的格子標題，標示出最多格子的標題。

我管自己 ←新標題	別人管我★ ←新標題
可以擁有很多選擇權	正在興頭上總是被打斷
不是所有遊戲都是可以暫停的	不會被別人管控
	躲避媽媽的嘮叨
	不想一直被爸媽叫去做事情
	只有念書，所有的手遊都不能玩
	只是超過一點點規範時間，就被處罰

再填寫一個九宮格，中間填上「**為什麼能夠自由自在（玩手機）？**」

先做完自己要做的事情	遵守討論好的手機使用規則	遵守自己說的話
在與爸媽講好的時間內玩	為什麼能夠自由自在（玩手機）？	知道自己什麼情況下需要使用手機
知道玩手機的好處和壞處	只在討論好的空間玩手機	只接觸符合自己想法的內容

將所有的格子依照內容運用「**KJ法**」做分類，將內容相似的放在一起，再給每堆相似的格子標題，標示出最多格子的標題。

我管自己 ★←新標題	別人管我←新標題
先做完自己要做的事情	
在與爸媽講好的時間內玩	
知道玩手機的好處和壞處	
遵守討論好的手機使用規則	
只在討論好的空間玩手機	
遵守自己說的話	
知道自己什麼情況下需要使用手機	
只接觸符合自己想法的內容	

學會掌控時間

121

💭 管好自己，贏回信任

經過一些時間，小彥終於開口：「躲在被子偷玩手遊的我，需要一個方法，更有效的降低別人控管我使用手機，因為管理好自己，你和媽媽能信任我，對我來說很重要。」

爸爸讚許的說：「很好！你發現什麼是你最在意，且需要的。不想要我們管你使用手機，是你的**『表層需要』**。你不喜歡發生衝突，就像今晚，所以管理好自己，讓我跟媽媽能信任你，才是今晚這個衝突需要解決的**『深層需要』**。」

小彥開心的點頭，喝完杯中的最後一點牛奶。

爸爸摸摸他的頭，也喝完自己最後那一口。

父子倆起身，關了客廳的燈，互道晚安。

✏️ 想一想你會怎麼做？

請以「如何管理好自己讓家人信任？（使用手機）」填寫九宮格，看看自己會怎麼做。

討論以獎勵制換取 延長使用時間		
手機一回家 立即放置養機場	如何管理好自己 讓家人信任？ （使用手機）	
在公共區域 使用手機		

哲學檔案　什麼是自律？

　　柏拉圖是古代希臘歷史上的三大哲學家之一，是亞里斯多德的老師。在他的作品《理想國》第三卷中，討論到軍人時，提到了「節制」，認為所謂的軍人，是擁有力量與具備對國家「激情」的人，並且懂得自己的力量是用來保護人民而非欺負人民。他借蘇格拉底之口（也是古代希臘歷史上的三大哲學家之一，柏拉圖的老師），說出所謂完美軍人的訓練；完美軍人的訓練除了透過教育外，還必須包含他的生活狀態與資產（資源與財產）的和諧，如果生活狀態與資產能和諧，就會激勵他們成為節制、有勇氣的軍人。

　　所謂生活狀態與資產能和諧，是指：「不擁有不必要的財產」、「不擁有不能讓他人知道的住所（私宅）」、「食品不奢侈」、「擁有應該有的就好了」。並透過道德品格的養成，讓他們理解靈魂之富足（自身中最珍貴的那部分）更勝於外在事物。如此軍人才能理解百姓平安是他們的責任、正義與幸福。

　　所以要理解節制，最重要的是要知道你的「責任」

是什麼？而你的「責任」往往是由你的社會角色（學生、老師、父母）去思考。

東方哲學的儒家（孔子開創的學說）對「節制」這問題往「態度」去深挖，思考關於作為「人的責任」。

孔子認為，作為人，至少你要重視自己。在《論語‧顏淵》中，顏淵問：「仁是什麼？」孔子回答：「克己復禮為仁。一日克己復禮，天下歸仁焉。」意思是：用堅強的意志時時刻刻提醒自己合乎於禮（適當的規矩），這就是仁的表現。如此，天下的人自然會崇敬你、追隨你、向你學習。

讀到這或許會覺得很壓抑，感覺時時刻刻都要仔細小心，怎麼可能做到？《論語》要提醒的就是，因為我們在沒有他人的時候，常常隨意，求個大概、妥協，而讓小錯誤往往到最後變得一發不可收拾。

因此孔子以「克己復禮為仁」，回答「什麼是仁」時，要說明的是：不多講別的，就先講對待自己，你是否能時時刻刻都知道分寸？時時刻刻都知道分寸的人，最少表現出對「自己」的尊重。能自重，別人自然不敢看輕你，也會尊重你，而這就是自律。

知識館

中小學生必備！問題解決力的思辨工具書（上）
該借同學抄作業嗎？運用九宮格、同理心地圖等工具解決人際難題

作　　　者	丁士珍、蘇子媖
繪　　　者	顏寧儀
封面‧內頁設計	黃鳳君
主　　　編	汪郁潔
責 任 編 輯	蔡依帆
國 際 版 權	吳玲緯　楊靜
行　　　銷	闕志勳　吳宇軒　余一霞
業　　　務	李再星　李振東　陳美燕
總 經 理	巫維珍
編 輯 總 監	劉麗真
事業群總經理	謝至平
發 行 人	何飛鵬
出　　　版	小麥田出版
	115 臺北市南港區昆陽街 16 號 4 樓
	電話：(02)2500-0888
	傳真：(02)2500-1951
發　　　行	英屬蓋曼群島商家庭傳媒股份有限公司
	城邦分公司
	115 臺北市南港區昆陽街 16 號 8 樓
	網址：http://www.cite.com.tw
	客服專線：(02)2500-7718 ｜ 2500-7719
	24 小時傳真專線：(02)2500-1990 ｜ 2500-1991
	服務時間：週一至週五 09:30-12:00 ｜ 13:30-17:00
	劃撥帳號：19863813　戶名：書虫股份有限公司
	讀者服務信箱：service@readingclub.com.tw
香港發行所	城邦（香港）出版集團有限公司
	香港九龍土瓜灣土瓜灣道 86 號順聯工業大廈 6 樓 A 室
	電話：852-2508 6231
	傳真：852-2578 9337
馬新發行所	城邦（馬新）出版集團 Cite(M) Sdn. Bhd
	41, Jalan Radin Anum,
	Bandar Baru Sri Petaling,
	57000 Kuala Lumpur, Malaysia.
	電話：+6(03) 9056 3833
	傳真：+6(03) 9057 6622
	讀者服務信箱：services@cite.my
麥田部落格	http://ryefield.pixnet.net
印　　　刷	漾格科技股份有限公司
初　　　版	2025 年 4 月
售　　　價	340 元

版權所有　翻印必究
ISBN 978-626-7525-41-8
EISBN：9786267525395（EPUB）
本書若有缺頁、破損、裝訂錯誤，請寄回更換。

國家圖書館出版品預行編目資料

中小學生必備！問題解決力的思辨工具書. 上：該借同學抄作業嗎？運用九宮格、同理心地圖等工具解決人際難題 / 丁士珍，蘇子媖著. -- 初版. -- 臺北市：小麥田出版：英屬蓋曼群島商家庭傳媒股份有限公司城邦分公司發行，2025.04
　面；　公分. --（小麥田知識館）
ISBN 978-626-7525-41-8（平裝）

1.CST: 生活教育
2.CST: 人際關係
3.CST: 中小學教育

528.33　　　　　　114001007

城邦讀書花園
www.cite.com.tw
書店網址：www.cite.com.tw